Lourdes Ortiz
Urraca

DEBATE
EDITORIAL

Primera edición: mayo 1991
Segunda edición (primera en este formato): julio 1998

I.S.B.N.: 84-8306-125-2
Depósito legal: M. 22.793-1998
Compuesto en Imprimatur, S. A.
Impreso en Unigraf, Arroyomolinos, Móstoles (Madrid)
Impreso en España *(Printed in Spain)*

A mi madre *In memoriam*

PARTE PRIMERA

I

Desde la celda puedo escuchar el cántico de los monjes y sé que pronto amanecerá. Una reina no puede dejarse consumir por la melancolía, me recuerda el hermano Roberto, y se oculta para que yo no pueda percibir ese destello, que es, entre otras cosas, piedad, compasión que humilla. Nadie debe, ni puede compadecer a Urraca. Todavía no estoy vencida...

A veces, cuando oigo el rezo de los monjes que se adormece y asciende desde el claustro, como si se restregara en cada piedra, me parece percibir aún el ruido de los cascos del caballo; siento el pálpito de las armas que supe defender y sé que, antes o después, se me hará justicia.

Ellos saben que no deben hablarme y, sin embargo, en sus rezos se murmura mi nombre, mientras se eleva hasta mis oídos el «Señor ten piedad»; son pacientes guardianes que conocen el valor de su presa y, dóciles como corderos, serán los primeros en abrirme las puertas el día de mi venganza. El abad se inclina ante mi obstinación y ya ha renunciado a sus intentos de los primeros días para lograr que me sometiera a una confesión pública de lo que llama mis pecados y moverme a esa figura que detesto: el arrepentimiento. No hay nada de qué arrepentirse sabe muy bien Urraca: uno es dueño hasta el fin de cada uno de sus actos. Por eso no hay compasión posible y no soporto sus ojos tiernos cuando me contempla y me gustaría gritar, interrumpiendo sus salmodias: guardaos vuestros rezos. Urraca sigue en pie.

Una reina necesita un cronista, un escriba capaz de transmitir sus hazañas, sus amores y sus desventuras, y yo, aquí, encerrada en este monasterio, en este año de 1123, voy a convertirme en ese cronista para exponer las razones de cada uno de mis pasos, para dejar constancia —si es que fuera la muerte lo que me espera— de que mi voluntad se vio frustrada por la traición y tozudez de un obispo ambicioso y unos nobles incapaces de comprender la magnitud de mi empresa.

Ellos escribirán la historia a su modo; hablarán de mi locura y mentirán para justificar mi despojamiento y mi encierro.

Pero Urraca tiene ahora la palabra y va a narrar para que los juglares recojan la verdad y la transmitan de aldea en aldea y de reino en reino.

El hermano Roberto me ha proporcionado todo lo necesario para que lleve a cabo mi escritura. Como en aquellos versos que aprendí cuando era niña y jugaba en los arrabales de la ciudad de Toledo:

> *Aunque el papel queméis*
> *no quemaréis lo que el papel encierra*
> *que en mi interior*
> *y a pesar de vosotros se guarda*
> *y conmigo camina*
> *vayan mis pies a donde vayan.*

II

El potro que yo montaba era de pelo rojo, pardo, como de fuego, y la luz rebotaba en las paredes encaladas de las casas y se congelaba en las cortinas echadas que formaban un muro de desatención y luto, un mosaico de colores que yo entonces —apenas tenía cinco años— no sentía como rechazo. Era una hermosa cabalgata regia, pisoteando la marea de turbantes blancos. Toledo era una noble y gran ciudad y la loriga de mi padre era espejo donde una población, hasta entonces hostil, proyectaba su miedo.

Quizá invento. Es difícil que pueda recordar aquella mañana: aquel cortejo a través de las piedras picudas y cortantes de una ciudad que habría de ser también la capital de mis reinos. Olía a jéngibre, a cuero, a canela, y la sonrisa de mi padre era la de la gloria; gloria lograda gracias a la traición de un pobre tonto, aquel al-Qadir que le había entregado la ciudad a cambio del señuelo del reino de Valencia.

Los colores... las callejas estrechas y empinadas, el zoco donde las telas se barajaban con los perfumes, junto a las alcachofas y las cebollas. Yo era la hija del rey, Urraca, y aquéllos también eran ya mis dominios: aquel manco que enseñaba sus muñones y hacía cabriolas, el titiritero que componía baladas y lanzaba naranjitas a los

11

Lourdes Ortiz

cielos, el ciego que repetía sus canciones en una lengua monótona, que siempre parecía lamento. Salía la serpiente del cesto de paja y las grandes tinajas que albergaban el tinte rojo y espeso eran bocas abiertas que podían tragarme... Todos los cuentos, todas las canciones... todas aquellas que Constanza, mi madre, inventaba para mí mientras mi padre, Alfonso, repartía sus dones entre las muchas doncellas que el reino y la cruzada conducían hasta su cama.

La sombra del abad Bernardo, erguido sobre el caballo, era negra y punzante y proyectaba un perfil afilado sobre la calzada.

—La ira de Dios acabará por manifestarse —comentaba el abad, y mi madre, a su lado, asentía y proyectaba sus quejas contra mi padre:

—No se debe esperar demasiado de un Fratricida.

Avanzaba la comitiva por las callejas de Toledo y el retumbar de los tambores era sólo amainado por el sonido dulce de las chirimías. Mi tía Urraca cabalgaba delante, entre mi padre y mi ayo, Pedro Ansúrez, y yo detrás, junto a mi madre, iba recogiendo el rumor de las voces, el vaivén de los blancos y marrones de las chilabas sucias, la mueca airada de los que inclinaban sus cabezas... Bernardo de Salvatat, el monje negro, repetía sus imprecaciones en voz baja. Toledo era la sede eclesiástica que le había prometido mi madre y los juramentos y pactos de mi padre le impedían entrar a saco en la Mezquita para convertirla en esa catedral con la que ya soñaba... Pero eso yo todavía no podía saberlo; esa niña que era yo, vestida de escarlata, sentada en mi potro de fuego, sólo oía los ecos, aunque todavía no podía entender los sentidos... Hacía calor, un calor espeso que se hacía mojado en los lomos de los caballos, en el olor agrio de las axilas. Bernardo soñaba capiteles cincelados en piedra

12

que derribaran los estucos e imaginaba sólidos muros de granito para cobijar a su Dios.

—Levantad las cabezas del polvo y arrancad vuestros turbantes blasfemos. No es Alá a quien debéis veneración. Sólo hay un único Dios, aquel que se manifestó en la zarza, un único Dios que se hizo hombre y cargó con vuestras miserias, con vuestros pecados y vuestra felonía.

—Aguardad, Bernardo, todavía no es el tiempo —murmuraba mi madre y se tragaba en su altanería sus despechos, sus noches de esposa mal casada.

—Toledo volverá a ser la ciudad santa, la que reúna Concilios, la favorita de Roma —insistía el abad, y mi madre movía sus labios como si rezara, mientras exhalaba languideces místicas.

Carretas desvencijadas y asnos *donkeys* infinitamente viejos a los lados del camino; asnos que portaban el agua como si la mecieran... Quizá fue entonces cuando la voz del al-*muezzin* muédano se dejó oír sobre las bóvedas blancas de la ciudad; quizá fue entonces cuando Bernardo, desairado, blandió su cruz de madera por encima de marranos y muslines. Yo miraba a mi padre y comenzaba a aprender su lección: él era el rey; era Alfonso VI, emperador de todas las Españas, y ni monjes ni abades podrían interponerse a sus deseos; ni la muerte de un hermano podía arrojar sombra sobre aquel que se sostenía en el caballo con la seguridad del que todo lo tiene.

—El cielo no puede perdonar a aquel que siega *cuts* su propia casa —repetía mi madre en aquellas interminables tardes de abandono, mientras bordaba cenefas con flores y pájaros—: tu padre mandó matar a su hermano Sancho y desde entonces mantiene a su otro hermano, a tu tío García, encerrado en la Torre de Luna.

Se detuvo el cortejo ante la Mezquita, en la gran plaza, donde lucían los pendones y los tapices y nosotros subimos a la tarima de madera, recubierta de alfombras. Mi padre descendió del caballo y ayudó a mi tía a desmontar del suyo. El alcaide se aproximó y le hizo entrega de las llaves de oro. Alfonso le invitó a sentarse a su lado entre cojines bordados y los demás permanecimos en pie, mientras las danzarinas cimbreaban sus caderas y hacían repicar los panderos.

Los ojos de mi padre se detenían con expresión de catador experto en las cinturas y en los cuellos, en las manos que se doblaban con la cadencia de las víboras. Mi padre, Alfonso, tasaba y elegía, mientras mi madre compartía sus horrores con el abad Bernardo. Aquella noche yo también, como en tantas otras, compartiría el aposento de mi padre y desde mi rincón, junto al brasero de bronce —donde lucían las brasas rojas hasta muy entrada la madrugada—, escucharía sus jadeos, presentiría el resbalar de su baba sobre la espalda tostada de la mora... todas las moras del harén para un rey guerrero y cruzado que amaba la carne y el goce...

Mi padre, el Fratricida, se dejaba llevar por el remolino de las músicas y llenaba una y otra vez su copa, mientras los saltimbanquis hacían sus piruetas y los nobles toledanos se lamentaban por su suerte: Toledo había sido traicionada por un jefe sin escrúpulos que fue desde siempre pelele de mi padre.

Y yo, comprimida en aquellas telas de Damasco que mi madre había elegido para mí, adormilada por los colores, empachada por los pasteles de hojaldre, las pasas y los dátiles dulzones, pensaba en mi tío García, mientras contemplaba las volteretas del oso, conducido por un cíngaro..., un oso manso y atrapado, como mi tío García permanecía atrapado para siempre en la Torre de Luna y arañaba con las uñas, inútilmente, las paredes de piedra dejando huellas en el moho... una torre, con una sola ventana, similar a esta celda de Valcabado, donde mi hijo y Gelmírez me tienen encerrada. El oso se balanceaba torpón y yo presentía las enredadas greñas de un ser que apenas sabía ya hablar, alguien que se afanaba para mirar al exterior a través de una diminuta saetera para ver cómo cruzaban los pájaros, cómo volvían las golondrinas y las cigüeñas, marcando el paso de las estaciones.

Mi padre hundía sus dedos en la carne grasienta del cordero que olía a sebo y a especias, y Pedro Ansúrez tapaba con sus risotadas la voz, siempre cortante, de mi tía Urraca. Yo hubiera querido acariciar al oso pardo, su melena sucia y ya canosa: «No hay perdón para aquel que siega su propia casa», había dicho mi madre, pero yo aquel día, al observar la docilidad del animal que se doblaba ante la orden del gitano, supe que mi padre no tenía nada que temer, que la venganza de García no era ya posible. «Él no puede volver, me dije. Está encerrado para siempre.» Y así, aquella mañana de la entrada triunfal en Toledo, comprendí que mi padre era rey precisamente porque tenía recluido a García y porque había hecho matar a Sancho. Ser rey era algo que merecía la pena y que explicaba la Torre de Luna. Era rey, emperador incluso, porque no había vacilado para ganar la primera batalla.

Muchos creen que yo siempre aborrecí a mi padre. Raimundo de Borgoña, mi primer marido, se preocupaba de recordarme una y otra vez lo despreciable de sus gestas y la tosquedad de sus modales de caballero cruzado. Raimundo tenía razón, pero, cuando me hablaba mal de Alfonso, cuando encizañaba en mi posible amor de hija, sólo buscaba asegurarse un trono tan poderoso y firme como el que mi padre había conseguido. Ahora, cuando ya ha pasado el tiempo, puedo decirlo: el odio que día tras días sentí hacia mi padre sólo es comparable a mi agradecimiento. A él le debo toda la energía que durante estos años he ido necesitando para luchar por lo que era mío...

No es el débil quien reina, sino el lobo; no hay cabida en el corazón de aquel que controla los destinos de los demás para la tristeza o la clemencia, para la compasión o la ternura; uno elige mandar y, si es el mando lo que produce el goce, debe llevar hasta el final las consecuencias de lo elegido. Por eso ahora, encerrada en este monasterio que es el reflejo de la Torre de Luna donde mi padre encerró a García, sé que, si he perdido, es porque en algún momento vacilé, me equivoqué y dejé de controlar los hilos; he sido torpe y he permitido que otros me tomaran la delantera; no puedo reprochar a esos otros el haber sido más consecuentes que yo misma en el juego del Imperio. Yo he fallado; bajé la guardia; perdí un peón o una torre, cuando la partida aún estaba sin decidir y, en este jaque mate final, constato que no supe aprovechar del todo las enseñanzas de mi padre. Yo ahora soy García y, como García, no tengo ya derecho a reclamar lo que tan tontamente me dejé arrebatar de las manos. Es mi hijo, Alfonso Raimúndez, quien tiene la iniciativa, y yo soy ya sólo aquella que durante mucho tiempo fue obstáculo para sus deseos; no es clemencia lo que puedo pedir, como fue inútil que García se rompiera las uñas contra las piedras cubiertas de moho de la Torre... Este es un juego preciso en el que nadie puede distraerse, porque si pierdes el caballo estás debilitando al rey. Yo, Urraca, la hija de Alfonso, en un momento que se me escapa, perdí la partida. Las campanas de Compostela que repicaron el día del triunfo de mi hijo y Gelmírez eran las campanas que saldaban mi derrota... no se puede cejar en la vigilancia; si uno se distrae, el otro toma la delantera y, al fin y al cabo, la Torre de

Luna es la salida más grata. Sancho tuvo peor suerte que García y perdió su vida; muchos Bellidos Dolfos necesita un rey para salir al paso de lo que se interpone en su camino... En cualquier caso, mi hijo y el Obispo han tenido alguna consideración a mi sexo y a mis primeras canas; soy mujer y, como tal, se me ha concedido un encierro relativamente cómodo: Valcabado todavía no es la Torre de Luna.

Daba vueltas el oso pardo y reía mi padre y yo sudaba bajo la gruesa tela y mi madre unía las manos, mirando hacia los cielos, cobijada por el monje negro; su mano blanca, demasiado pálida, acariciaba el pelo crespo de un idiota que se dejaba hacer; la sonrisa lela del muchacho quedaba como colgada de las sonajas que pendían de su gorro. Bernardo cuchicheaba, planeaba, dirigía y ella observa la borrachera de mi padre con altanería de princesa, mientras sus dedos hurgaban en la cabeza del nuevo muñeco.

—La ira de Dios debe manifestarse.

Pasó mucho tiempo hasta que yo pude entender lo que Constanza había intentado transmitirme. Ella desde su alcoba movía destinos y construía conventos; Constanza no era tan débil como yo había pensado, pero sus armas eran los rezos, las jaculatorias y la coquetería sabiamente administrada. Si mi padre trazaba planes de divorcio o repudio, ella, gracias a sus monjes negros —esos monjes de Cluny ante los que tantas veces tuvo que ceder mi padre y tantas veces he tenido que doblar la cabeza yo misma— conseguía de Roma la decisión de que el matrimonio debía conservarse por encima de cualquier manejo. En Bernardo y en otros como él tenía sus más perfectos aliados. El monje era así su arma secreta, la más segura, ya que los monjes aunaban la habilidad de las cortesanas con una sutil dialéctica, protegida

por la palabra divina. Frente al rey sólo había un poder
que pudiera servirle a Constanza y ese poder era el del
Papa, ya que sólo él contaba con ese instrumento que
hace plegarse a los ejércitos y a los monarcas: la excomunión.

La sutileza de la controversia y la práctica de la conspiración de alcoba... Entre mohínes y arrebatos religiosos, Constanza había conseguido domar la voluntad de
mi padre; en la corte de León había introducido modales
y costumbres importadas, como importado era el rito
que venía a suplantar al que hasta entonces venía utili-
zándose en nuestras iglesias. Mientras mi padre compartía su lecho con barraganas, ella discutía con el abad Ge-
rardo y desplegaba una languidez que desconcertaba a mi
padre y le obligaba a respetarla...: la sonrisa que sabía ser
oferta aplazada, el lecho abierto cuando conviene, la
mano levantada a tiempo y esa dulzura no agresiva que a
todos tranquiliza.

Fue como una revelación, una revelación tardía pero
que siempre me ha sido provechosa. Jugaba yo en el patio con Guzmán, el escudero de mi ayo... Puedo ver aún
su desproporcionada nuez de adolescente, sus ojos salto-
nes. Yo luchaba con él en un duelo perdido de antemano; yo era ágil y sabía manejar la espada, pero mi muñeca se fatigaba pronto y él reía presintiendo su victoria, una victoria que venía florecida con grandes carca-
jadas:

—Eres sólo una niña, una niña que quiere vestirse de
hombre... Urraca marimacho.

Mi puño perdía flexibilidad y mis movimientos lige-
reza. Iba a perder, pero entonces, como en una iluminación, las enseñanzas de Constanza cobraron su sentido y
busqué con los míos los ojos del muchacho para que leyera el tributo a sus brazos, donde los músculos forma-

ban armadura, a su cabello despeinado y lacio sobre los hombros.

Empezó a vacilar; fingí cansancio y, mientras reculaba, dejé que se abrieran las cintas de mi corpiño. Allí, ante la mirada del escudero, mis dos pechos saltaban; nuevo e inesperado, el cuerpo de Urraca parecía ofrecérsele. Guzmán vaciló y yo, aprovechando su turbación y su sorpresa y un torpe movimiento, coloqué la punta de mi espada en su nuez que se agitaba cada vez más deprisa. «Te he vencido. Esta vez te he vencido.»

Y a partir de aquel día comprendí que si yo era capaz de aunar el rigor de mi padre con el «saber hacer» de Constanza, no habría nadie que pudiera interponerse en mi camino hacia el Imperio. Pero supe también que debía esperar; Alfonso, mi padre, no hubiera permitido ninguna veleidad rebelde, tendente a desplazarle, ni hubiera consentido que se despertaran en mí pretensiones prematuras a la corona.

Porque yo no quería ser oso, tirado de un cordel, porque me aburrían las lágrimas de Constanza y sus suspiros de mujer insatisfecha, elegí el Imperio y me preparé para que todas las tierras reunidas por mi padre pasaran a mí cuando su muerte llegara a producirse.

Alfonso lamentaba que mi madre no le hubiera dado ningún varón, como tampoco se lo había dado su primera mujer, Inés de Aquitania, por eso me miraba a mí y a mi hermanastra Teresa como a dos piezas de rompecabezas que, ensamblado adecuadamente, le serviría para ampliar sus tierras. Sólo le interesábamos en tanto que podíamos ser entregadas en matrimonio y mi madre también en este punto se interpuso en sus proyectos y consiguió para mí y para mi hermana, cuando apenas éramos dos niñas, no dos enlaces ventajosos —de esos que soñaba mi padre para consolidar su Imperio—, sino el compromiso con dos nobles aventureros de la casa de Borgoña, que le daban la oportunidad de ampliar la influencia de su tierra en Castilla y León.

—Tocas de seda, sujetas con guirnaldas de oro, llevan las doncellas y mantos preciosos cubren los tablados de madera cuando se celebra el torneo. Hay cantores llegados de todas las regiones que tocan el laúd y el rabel y componen sus versos en esa lengua de la calle, una lengua que frunce los labios como el beso...

Los viñedos, los grandes banquetes donde las aves son cocidas en vino rojo. La luz tenue de esos cielos que Constanza me describía y esos montes verdes que yo recreaba como mis montes de Galicia... esa tierra borgoñona a la que Constanza jamás pudo volver y que quería rescatar, buscando esposo para sus hijas, acogiendo a los monjes, trayendo juglares y troveros.

Mi hermana casó con Enrique y yo con Raimundo y ambas comprobamos, ya desde el día de la boda, que las alabanzas de mi madre a sus caballeros borgoñones eran desmesuradas. Raimundo no se diferenciaba mucho ni por su brío ni por sus entendederas de la mayoría de los nobles leoneses o gallegos con que mi padre podría habernos casado. Era un joven ambicioso que, aprovechando la idea de Cruzada que mi padre había lanzado, había venido atraído por el moro y la riqueza y, sobre todo, por la perspectiva de conseguir una buena tenencia. La ayuda de mi madre y de Cluny le apoyaron mucho en sus proyectos y de ese modo mi hermana Teresa y yo pasamos a disponer de una jugosa dote y de unos cariñosos maridos. Mi tenencia gallega —la tierra de García venía así a caer en mis manos— y un esposo proveniente de allá, del otro lado de las montañas, sirvieron para que poco a poco se fuera afianzando en mí aquel primer deseo: cuando muriera Alfonso, yo, su heredera, ocuparía el trono.

III

El hermano Roberto se demora cuando me sube la comida y yo, como si la escritura no fuera suficiente, le pido que se quede y le hablo de Gelmírez y él se estremece al oír su nombre y se santigua en un gesto que no puedo saber si es de respeto, veneración o miedo. «El Obispo», dice, y mira las baldosas de la celda como si en ellas viera dibujarse el cetro del monje, su mitra dorada, sus mantos recubiertos de piel de comadreja.

Para Roberto, Gelmírez es Dios en la tierra, su cara más real; ha oído hablar de sus escritos, de su devoción, de sus galeras y vacila entre el acatamiento que me tiene como reina y la obediencia que debe al que me mantiene aquí encerrada.

—Dicen que su voz es como la campana —comenta el monje— y va directa al corazón de los hombres; su caballo deja fulgores que son como los rayos de la furia de Dios.

Como la furia y como el rayo; tienes razón, Roberto, nadie mejor que tú ha descrito al Obispo. Él, tú debes saberlo, fue mi gran aliado, pero también ha sido el gran vencedor en este torneo. Yo, para ser justa, debería comenzar por rendir al Obispo mi homenaje. Los dos unidos pudimos ser invencibles, pero desde que nuestros intereses se enfrentaron, el resto fue una gigantomaquia en la que, ¿por qué no decirlo?, fue más hábil.

—Nadie puede oponerse a la mano de Dios —dice Roberto y sé que esta tarde, cuando vuelva a sus dibujos minuciosos, se detendrá en la espada y en el caballo del Obispo guerrero y pintará en sus ojos esa seguridad que sólo le corresponde a Dios.

—Yo era una niña cuando llegó a la corte —le cuento al monje—, y él, desde el principio, se arrimó al bando de mi madre... Luego, cuando mi padre, al prometerme, me concedió la tenencia de las tierras de Galicia, se acercó al que debía ser mi esposo y se convirtió en su consejero.

Un hombre de Dios con voz de flauta, dulce en los bajos. Para mí, Roberto, era uno más, un fraile como todos los que conocía, dispuesto a conseguir prósperos diezmos y alguna que otra prebenda. Sólo más tarde aprendí a valorar su tesón y su fuerza, su habilidad para la espera, su facilidad para propiciar las circunstancias y lograr que le fueran benignas.

Quizá nuestra alianza se forjó una tarde en que Gelmírez había acudido a visitarnos a mí y a Raimundo, como tantas otras veces. Raimundo y él hacían cuentas y sabían almacenar oro en el arca; por eso Gelmírez era la mano derecha de mi borgoñón, la que tenía la iniciativa y sabía retroceder en el momento oportuno.

Gelmírez había adelgazado y sus ojillos de prestamista brillaban. Bebíamos un buen vino ácido y muy turbio; un vino blanco de esos que se quedan en la garganta y desatan las lenguas. Raimundo disfrutaba en aquellas reuniones, cuando el Obispo aprovechaba para encandilar sus oídos con alabanzas desproporcionadas a sus dones de caballero, a su generosidad y a su valentía. Tarde tras tarde, mientras la leña se consumía en el hogar, Gelmírez y Raimundo jugaban a las cartas y conversaban, hacían proyectos, construían mundos. Y aquella tarde también, ellos soñaban juntos, mientras yo permanecía callada, sentada en un pequeño taburete de madera, mirando el crepitar de la leña, viendo dibujos en sus llamas, como tú, Roberto, puedes ver rostros en las sombras de la baldosa, en su relieve irregular.

—Vos sabéis, señor, que vuestro suegro no tendrá vida eterna, por lo menos aquí, en esta tierra que es sólo valle de lágrimas. Galicia era y debe volver a ser un reino, y vos seréis rey con todos los derechos. Yo, como obispo de Santiago, tengo gran interés en que Galicia recupere su independencia y estoy dispuesto a ayudaros. Vos recuperaréis el trono de Galicia que por herencia pertenece a vuestra esposa y yo, a cambio de la ayuda prestada, lograré de vuestra benignidad que Santiago alcance la dignidad que le corresponde.

Este u otro similar era el discurso de Gelmírez, un discurso lleno de parabienes para Raimundo y de circunloquios: vos podéis, vos debéis... Aparecían allí mezclados los intereses de la Orden de Cluny con los de la casa de Borgoña y con sus propias conveniencias. Raimundo se tragaba los elogios de Gelmírez, mientras él se encargaba de llenar su copa. Él apenas bebía pero se comportaba de tal modo que daba la impresión de estar acompañando a Raimundo en su progresiva borrachera.

—Estos vinos son demasiado ácidos —comentaba mi esposo—, allá en mi tierra el blanco es cálido y tiene un color como el del oro y deja un aroma de fresas en el paladar; —y Gelmírez fingía interés por las cosechas, por las uvas doradas, que no necesitan demasiado sol pero dan un vino fuerte de grados suficientes, un vino que huele a prado, insistía Raimundo: —Algún día, Gelmírez, tienes que volver conmigo a la Borgoña y, si no fueras tan pacato, después del vino te daría a probar alguna moza... allí también las hay de buenos y frescos pechos, duros como manzanas —y Gelmírez, Roberto, fingía no reparar en los guiños de mi esposo, guiños dirigidos a mí, preparadores de lo que luego iba a darse. Al Obispo le daban igual los arrebatos amorosos de Raimundo, excitado por el vino blanco, y, por un momento, parecía complacerse en la descripción de las sayas levantadas, de las piernas duras y tersas con que Raimundo comenzaba a calentarse.

—Un vino que da gusto mirar, que nunca es turbio como lo es éste —insistía Raimundo y se acercaba a mí y comenzaba a meter sus dedos largos en mi corpiño, sin que el Obispo se inquietara.

No te preocupes, monje, que tu reina no va a seguir por ahí; no iba a contarte mis noches con Raimundo, ni te iba a hablar de su obsesión por las doncellas. Yo entonces era casi una niña, pero en seguida comencé a ser vieja para él; le gustaban de trece y de catorce años, o incluso más pequeñas: carnes prietas, sin tostar, recientitas, y se encendían sus mejillas cuando quería hacerle compartir al Obispo sus más recientes descubrimientos; cuerpos de pluma, suaves como el terciopelo, casi blancos.

No enrojezcas, monje, le gustaban las buenas borgoñonas, pero también las portuguesas y las castellanas, y las leonesas y las gallegas. Pero no las moras. En eso no se parecía a mi padre, y quizá por ello le despreciaba; su fervor religioso ponía límites en su cama; no buscaba como mi padre delicadezas o juegos complicados. Prefería niñitas recias de mejillas rosadas que no pusieran resistencia y que apenas dieran respuesta.

—Gelmírez y mi esposo —le cuento al hermano Roberto— querían conspirar contra mi padre, y Raimundo quería proclamarse rey de Galicia, antes de que mi padre muriera.

Tartamudea mi monje al escucharme; un hombre de

24

Dios como Gelmírez no puede atentar contra su rey.
¿Verdad que es eso lo que piensas? Pero los hombres de
Dios como el Obispo se vuelven locos por los asuntos
del reino. Yo sé muy bien que, si hubiera podido sin
escándalo, habría renunciado a sus hábitos para ocupar a
mi la lado la cabeza del Imperio. Pero era astuto y prudente y comprendía que, en un reino cristiano, un Obispo no podría sentarse en el trono sin caer en la pena de
excomunión, sobre todo porque, para acceder a él, tenía
que pasar antes por mi mano. Por eso toda su ambición
se centró en conseguir aquello que sus votos le permitían: una mitra arzobispal.

Raimundo hablaba del vino y de las mozas y Gelmírez regalaba sus oídos con futuras expediciones de conquista, posible ampliación de territorios, nueva y más
oportuna delimitación de fronteras; conventos y monas-
terios, peregrinos, comercio. Esplendor y dinero, palabras que, a mi marido, llegado de tan lejos en su busca,
no podían más que complacer. Al caer la tarde el vino y
los buenos pronósticos del Obispo volvían a mi esposo
charlatán y bobalicón:

—Seréis arzobispo, Gelmírez, seréis arzobispo, porque yo, Raimundo de Borgoña, os lo prometo.

Y ya se veía en la ceremonia de la coronación, en la
iglesia abadía de Santiago, con la presencia del arzobispo: «tú, Gelmírez, quiero decir, y vendrá el legado pontificio y cursaremos invitaciones a las distintas cortes y,
desde luego, a la de Borgoña, para empezar desde el
principio a fortalecer los lazos...»

—Gelmírez hablaba siempre con Raimundo —le
cuento al hermano Roberto—, y a mí apenas me miraba.
Sólo cuando Raimundo murió, comenzó a hacerme caso.

Entonces sí, entonces Urraca era de nuevo moneda
que podía ser comprada, que podía ofrecerse en matri-

monio, que podía elegir, y una elección desacertada hubiera irritado al Obispo. Quizá, Roberto, si mi esposo Raimundo no hubiera muerto tan temprano, mis veleidades de soberanía se hubieran aplacado. Raimundo, antes de morir, me había hecho al fin un hijo y yo durante un tiempo desmonté del caballo para dedicarme a su crianza. Un breve tiempo durante el cual habían dejado de inquietarme las conspiraciones de Gelmírez, los caprichos de Raimundo, sus ausencias y sus cabalgadas.

—Raimundo de Borgoña murió demasiado pronto —repito para mi monje, que inclina la cabeza y supone lutos en su reina y me pide permiso para retirarse. Yo le dejo que marche para concentrarme en los paisajes, para recuperar la boca de aquel niño que tiraba de mí y me volvía sumisa, para volver a escuchar la voz siempre melosa, cauta, del Obispo.

—Dios te ha elegido a ti, Urraca. Una mujer es sólo mediadora; pero a través tuyo se perpetuará la dinastía y ahora que Raimundo nos ha dejado, entre tú y yo tenemos que preparar las cosas.

Gelmírez amaba el mar, el aroma húmedo de sus tierras gallegas, donde los helechos parecen dragones; galeras para su mar, galeras para llegar al otro confín, allá de donde viniera el santo. No era un cruzado Gelmírez, sino un comerciante, un hombre de orden, y ahora, cuando es mi hijo y no yo el que ocupa ese reino que a mí estaba destinado, estará satisfecho; ahora que ya es por fin arzobispo de Santiago con todos los derechos y su sede iguala en dignidad a la de Toledo.

Una mujer sólo es mediadora, pensaba el Obispo y yo le dejaba creer, porque yo también había entendido que sólo con su ayuda podría retener lo que era mío.

IV

El hermano Roberto se sienta a mi lado y me habla de su padre y de su ceguera. Mientras lo hace me mira con devoción y presiento abrazos que no dejan de tentarme en esta cárcel a que me veo forzada.

—Háblame de Zaida —me pide y se ruboriza, como si el solo nombre de la mora tiznara de sacrilegio sus labios entrenados en loas del Santísimo.

—Dicen que nunca se quitó las sedas.

Sedas transparentes que dejan sitio a la imaginación. Zaida, la fugitiva, la concubina de mi padre. No, Roberto, nunca Zaida vistió toga de lana y sayas de tela gruesa. No era demasiado hermosa ni demasiado joven cuando llegó a la corte, pero sí lo suficientemente hábil como para engatusar a mi padre desde la primera noche; lo suficientemente experta como para que él, durante años, la prefiriera a todas las demás, a ella que le seguía, sumisa siempre como un perro, con aquellos ojos grandes, húmedos, ojos de vaca mansa donde no cabía la rebeldía.

Yo no podía aguantar el olor del incienso, ese aroma pastoso que se extendía por las salas desde que Zaida se asentó en palacio: cientos de braserillos quemando hierbas, ungüentos y perfumes que Zaida trajo a la corte para rescatar a través del olfato su perdida Córdoba; braserillos humeantes, que aletargaban a mi padre y creaban una atmósfera de sombras pesadas en los corredores, babuchas de cuero para dejar los pies holgados, que mi padre calzaba y ella, mientras, con el rostro tapado por los velos, para que sólo pudieran verse sus ojos acuosos. Que un rey cristiano yaciera con una infiel no era un acontecimiento extraordinario, ya que, por derecho de conquista, los caballeros de mi corte usaban de las moras con el mismo entusiasmo con que se apoderaban de sus tesoros o transformaban sus mezquitas; pero lo que sí era nuevo era el hecho de tener que admitir a Zaida como reina.

—Zaida-Isabel —murmuraba el hermano Roberto y sé que con aquel bautismo quiere borrar todas las profanaciones. Mora conversa, puta-infiel como la llamaba Gelmírez.

Zaida, sentada a los pies de mi padre, tocaba el laúd y cantaba baladas, siempre repetidas. Los últimos años de mi padre se condensan en sus manías imperiales y en esas cantinelas machaconas con que Zaida, al anochecer, le adormilaba. Nunca vistió toga de lana, no, Roberto, sino túnicas que dejaban al aire sus tobillos, recubiertos de ajorcas, y babuchas de cuero trabajado con hilos de oro y aquellos velos que sólo podía arrancar mi padre.

—Yo —le cuento al monje— hablé con el rey y le exigí que relegase a Zaida; recuerdo que la insulté: aludí a la memoria de Constanza y al descrédito que podía suponer que un rey cristiano, que se pretendía cruzado, durmiese con la que había sido esposa de Faths al Ma'mun y, sobre todo, insistí en preguntarle por qué Zaida y no cualquiera de las otras.

Me parece que vuelvo a verle hoy, como le vi entonces, reclinado en los cojines; puedo ver sus ojillos burlones. Llamó a Zaida, que permanecía en silencio, le dio una resonante palmada en el culo y luego, señalándome, dijo:

—Enséñale a ésta lo que tienes —y entonces, mientras Zaida confusa volvía a tumbarse a sus pies, me despidió diciendo:

—Ella tiene algo que tú jamás podrás tener. En eso se parece más a tu madre.

Zaida, monje, conservó siempre una altivez y una gallardía que no correspondían a una refugiada pero, al mismo tiempo, rendía a mi padre un vasallaje que era más propio de una esclava que de una reina.

Un día que yo deseaba hablar con él, me dirigí a su aposento; pero allí, en el umbral, semidormida y vigilante como un can, estaba ella.

—Él reposa —dijo.

—Para mí, no.

Afirmó que sí con la cabeza y comprendí que, a pesar de su aparente debilidad, iba a impedir que yo pasara.

—Él duerme ahora —dijo, y aunque nada podía humillarme más que el enfrentamiento con la mora, con ella que era una advenediza, comprendí en aquel instante que ella había ganado, ya que toda su voluntad se concentraba en proteger el sueño de mi padre.

Nunca supe, Roberto, ni tampoco creo saber ahora, si aquel sentimiento podía ser llamado amor; pero era poderoso, era una entrega sin condiciones, que tal vez se reducía al agradecimiento, un agradecimiento que con los años era limado por la ternura.

¿Por qué me detengo en ella, monje? Tú lo intuyes, quizá, pero yo no voy a decírtelo. Zaida era la única persona que contraponía a mi fuerza otra que parecía provenir de un ámbito que se me escapaba. Aquella frase de mi padre: «Ella tiene algo que tú nunca tendrás» me ha producido siempre desasosiego. Pero no creas, Roberto, que la odiaba; nunca llegué a odiarla, aunque desde que llegó a la corte pasó a ser mi rival, sobre todo desde el momento en que dio a luz un hijo. ¿Te das cuenta?

Aquel hijo varón que mi padre tanto había deseado, el posible heredero, aquella «mezcla», como decía Gelmírez, se lo había dado Zaida, robándome a mí lo que por todos los derechos me correspondía... No odié a Zaida, pero me inquietaba aquella soberanía que sólo se manifestaba como sometimiento, esa dignidad que contradecía su entrega de gata mimosa, aquellos ojos en los que no cabía el desafío.

Mi padre, monje, celebró el nacimiento de su hijo, al que puso por nombre Sancho en memoria de su hermano, terrible ironía o malos remordimientos, con grandes fiestas en todo el reino. Zaida, a partir de aquel momento, ocupó su lado en la mesa y en las audiencias, y Alfonso, mi padre, hizo besar su anillo a todos los caballeros. Zaida-Isabel se había enseñoreado en Castilla en virtud de aquel niño que pasaba a ser mi más serio adversario. Mi hijo todavía no había nacido y yo ya llevaba por entonces dos años casada con Raimundo.

Sancho gateaba, correteaba en alfombras traídas para él, Sancho jugaba en el patio del castillo, Sancho era adiestrado en el uso de las armas... Fueron malos tiempos, tiempos en los que mi viejo sueño de Imperio parecía tambalearse. Yo había cumplido los dieciocho años y aquel hermanastro de pelo crespo y negro como la pez venía a robarme lo que era mío: las atenciones de mi padre y mi derecho a la corona.

—Cuando Sancho murió...

No, deja eso ahora, monje. Sancho todavía estaba vivo. Zaida le mimaba y le cantaba canciones en su lengua; cuando el niño desmontaba del caballo, ella le recitaba largos poemas y le mecía ante la sonrisa complacida de un padre-abuelo.

—Zaida soñaba con regresar a Córdoba —le cuento al monje, pero no le digo hasta qué punto deseé yo también aquella marcha, hasta qué punto vigilaba atenta cada uno de los movimientos del niño, cada una de sus fiebres; hasta qué punto quise entonces su muerte.

—Una mañana —digo— sorprendí a Zaida y a su hijo. Zaida no me había oído entrar y yo pude escucharla; se había quitado el velo y tenía a Sancho sentado sobre las rodillas.

Le hablaba de jardines, monje, que como doncellas vestían la túnica de sus flores y se adornaban con el collar del rocío, jardines donde el río parece una mano blanca desplegada sobre el manto verde, de palacios por los que corría el agua y en los que brillaba la luz, repicando en los azulejos; hablaba de Córdoba como el lugar al que ambos deberían volver, como el reino verdadero que les estaba reservado: «Y las casas son pequeñas y blancas y las flores encienden las ventanas y hombres y mujeres se adornan con vestiduras de seda y oro.» Creo, Roberto, que la arrogancia de Zaida, ahora que el tiempo asienta los rencores, se debía sólo a que estaba convencida de la superioridad de la tierra que había abandonado y a la que esperaba regresar. La corte castellana le parecía zafia y atrasada, y añoraba los salones de Córdoba, los baños, el calor: todo lo que se vio obligada a abandonar cuando su esposo fue asesinado. ¡La esposa del rey de Córdoba convertida en concubina de Alfonso VI y en madre del futuro heredero del Imperio!

Las rimas de mi poema cantan a todo llorar
por un árabe perdido entre bárbaros.

Así le cantaba Zaida al niño, y sus ojos se nublaban como si las túnicas ásperas de aquellos que llegaron como salvadores y trajeron la muerte la hubieran arrebatado para siempre la alegría, al despojarla de su esposo y su tierra. Al-Mutamid, el príncipe poeta, huyó al otro lado del mar y Faths al Ma'mum, el esposo de Zaida, perdió la vida. Ellos les habían reclamado para combatir a mi padre y ellos fueron sus primeras víctimas. Por eso era injusto que mi padre protegiese a Zaida, la ensalzase, olvidase su origen. Ni las plazas que ella aportó como regalo, esas plazas magníficas de Ucaña, Cuenca y Uclés, eran compensación suficiente por todos los desmanes y todas las derrotas.

—Al-mo-rá-vi-des —deletrea con dificultad el monje y se santigua como si hubiera mencionado al mismo diablo.

Guerreros fanáticos, que no diablos, monje. Ellos, como tú, como el propio Gelmírez y sobre todo como el abad Bernardo y también como mi propio padre, luchaban por su Dios. Empalideces, monje, pero es en nombre de Dios como llegaron, porque el nombre de Dios puede escribirse de muy diversos modos. Guerra santa la que ellos hacen y guerra santa la que creía hacer mi padre y la que sigue haciendo el que también fue mi esposo. Morir por Dios, monje, es un extraño modo de morir, más cálido y satisfactorio que cualquiera de las otras muertes. También para ti la tierra es un erial, un pozo de inmundicias, y en tus pinturas imaginas otras vidas y otras esferas, donde tu padre, cuerpo glorioso al fin, recupere la vista. Yushuf ben Tashin era un creyente como tú mismo; quizá tú también, Roberto, añoras el caballo y la lanza y quisieras cambiar tus pinceles de pelo suave por el frío del metal; esa sangre con que adornas tus figuras te parece tal vez menos hermosa, menos real que esa otra que yo he visto derramar una y otra vez en el campo de batalla. Un soberano, Roberto, es tu reina quien te lo dice, debe saber utilizar a esos hombres de Dios y quizá yo fallé porque no quise hacerlo... tampoco Gelmírez, monje, pero eso a ti no te importa demasiado... y creo que ni siquiera a él le importó nunca: en nombre de Dios construyó sus barcos, como mi padre y mi esposo en nombre de Dios ampliaron sus fronteras... Pero yo no, tu reina se olvidó de la fuerza de la fe y cometió errores tan grandes como los de al-Mutamid. El rey de Sevilla —le imagino así, como me veo a mí misma— amaba la vida y recurrió a los hombres de Alá, a los puros, a los intransigentes, porque pensaba que de ese modo él podía seguir cubriendo su cuerpo con ungüentos, acariciando espaldas satinadas de niños rubios y morenos, que se dejaban recorrer como si fueran miel que puede ser libada... Un día, monje, te hablaré de los gustos de al-Mutamid, de sus poemas y sus debilidades, de ese favorito de talle de palmera que le hacía perder el sentido.

Mi padre amaba a Zaida, pero nunca se distraía demasiado de los asuntos del reino y, en cambio, al-Mutamid pensó que podía delegar en otros la tarea guerrera, mientras él seguía componiendo poemas y dando reverencia a todos los donceles de su reino. Aben Ammar debía parecerse a ti, monje; tenía seguramente tus mismas manos largas, esas que yo presiento destinadas a recorrer la piel; tenía ese talle delgado y firme que tú castigas con cilicios y que él seguramente bañaba con óleos.

Al-Mutamid les llamó a ellos, a esos que te hacen santiguarte, porque era orgulloso y no podía seguir tolerando los avances y los éxitos de mi padre, que no le dejaban descansar, que no le permitían concentrarse en lo que realmente deseaba: nalgas estrechas y hombros cincelados. Pero los que vinieron estaban demasiado acostumbrados al caballo y a la guerra; eran, como esos caballeros pardos que tan útiles le fueron a mi padre, gentes que apenas sabían desmontar, que traían el polvo del desierto pegado a las túnicas malolientes y que pisotearon los jardines de esa Córdoba que yo nunca he llegado a ver, esa Córdoba a donde soñaba con volver Zaida.

Cuentan que al-Mutamid dijo que él prefería pastorear los rebaños de los almorávides antes que guardar los puercos de los cristianos... y Zaida debió repetirse esa frase muchas veces durante su estancia en nuestra tierra y estoy segura de que lamentaba haber dejado sus costumbres y sus gentes por la pocilga cristiana.

«Ella tiene algo que tú nunca tendrás...» Yo, monje, también fui guerrero como esos hombres de Yushuf ben Tashin que te hacen persignarte, yo, como ellos, apenas desmonté del caballo, y mis ropas olían siempre a polvo y a sudor y no a ungüentos perfumados; no era Alá quien movía mi espada, pero me distraje demasiado en los asuntos del Imperio y ahora, cuando veo esas manos tuyas diestras en el pincel, sueño yo también con Aben Ammar e imagino los goces de al-Mutamid, veo esta celda con los ojos con que Zaida veía sus jardines. Cojines de seda, monje, donde tú podrías recostarte, mientras yo, tumbada a tu lado, iría recorriendo tu cuerpo con mi lengua; yo tocaría para ti el laúd, como Zaida lo tocaba para mi padre Alfonso, y te cantaría canciones como aquellas que cantaba Aben Ammar, o las que componía para mí Gómez González.

No, todavía no voy a hablarte del conde. Estoy algo cansada y esta ternura que me producen tus cabellos despeinados, casi rojos, como el pelo del potro que yo montaba de niña, se parece demasiado al deseo.

Tengo que concentrarme para que mi tarea no se pierda; vete ahora, monje, y déjame sola. Te estaba hablando de Zaida y de Sancho y lo que tengo que decir es algo que puede trastornarte. Yo soy tu reina y tú me miras con ese respeto que me es necesario para proseguir mi crónica. Sancho murió en Uclés, conduciendo un ejército que sería derrotado. Murió en Uclés en la misma plaza que la barragana entregara a mi padre.

Déjame, Roberto, déjame ahora. Son confusos los ruidos de la batalla, me cuesta imaginar a ese niño de pelo crespo, un niño que apenas contaba diez años, espoleando al caballo. Pesaba demasiado la espada en su cinto; era demasiado angosta la loriga, demasiado ajustado el yelmo, un yelmo fundido para un niño que se creía caballero. Yo no tuve intervención directa en aquello... o quizá sí, quizá permití una vez más, como tantas otras, que Gelmírez interpretara mis deseos. Hay muy diferentes modos de actuar y yo aplaudí la idea de mi padre: el hijo del rey debe estar a la cabeza de las huestes.

Yo había deseado más que ninguna otra cosa su muerte, Roberto, y todavía me parece percibir el remolino de la lucha, puedo contemplar sus ojos asustados, veo su carne traspasada, como la soñé entonces, cuando todavía los resultados eran impredecibles y no habían acudido mensajeros a la corte para comunicarnos la derrota. «Los designios del Señor son inescrutables, dijo Gelmírez, y recomponen lo que los hombres deshacen» y yo, como él, predije que aquel niño era conducido al matadero y, aunque eso no lo repito para ti, celebré con Gelmírez aquella muerte que me devolvía el triunfo... Raimundo, mi esposo, había muerto un año antes y mi alianza con el Obispo era más sólida que nunca. Ya no habría Sanchos que se interpusieran en mi camino y en el de mi hijo.

Vete ahora, monje, y permíteme que me distraiga con los olores, como mi padre se aturdía con el incienso. Él no se recuperó de la tristeza que le produjo la muerte de su hijo y se doblegó por entero ante las lágrimas de Zaida, como si presintiera ya su próxima partida y quisiera protegerla a ella de lo que iba a venir.

Zaida tampoco se recobró tras la muerte del niño; sus baladas adquirieron un tono más fúnebre y su rostro comenzó a ajarse; envejecía como si se dispusiera a acompañar a mi padre. En las audiencias se mostraba serena pero por las noches debía llorar y las mañanas nos devolvían a una Zaida que ya no podía ocultar con la pintura y la ceniza los surcos que iban envolviendo sus ojos. Daba grandes paseos y recitaba versículos que yo presentía rezos a su dios. Gelmírez, impaciente, pretendió acusarla de herejía y de conspiración con los muslines; quiso dejar que se propagara el rumor de que el mal de mi padre se debía a los conjuros de la extranjera; pero yo le recomendé paciencia: mi padre estaba muy enfermo y Zaida ya no podría hacernos mucho daño.

Mi padre decidió entonces que mi hijo, Alfonso Raimúndez, debería educarse en Galicia, y encargó de su tutela a Pedro Froilaz, conde de Traba. Esta medida nos favorecía y concretamente beneficiaba a Gelmírez, pero yo sabía que la decisión de mi padre se debía a que pretendía alejar a su nieto para que Zaida no se afligiera más. Yo, monje, le dejé hacer: mi hijo estaba bien en Galicia y yo ya tendría tiempo para reclamarle a mi lado.

V

La proximidad de la muerte había convertido a mi padre en un hombre obsesionado por la salvación y carcomido por los remordimientos. Por las noches su voz ronca de agonizante se propagaba por las salas, repicaba en los muros, alertaba a Castilla y León, avivaba la ambición y predecía grandes cambios. Mi padre deliraba y hablaba en nombre del dios que le diera carta blanca en sus conquistas; balbuceaba, en una lengua casi ininteligible, retahílas sin sentido donde podían entenderse referencias a su cruzada y a su imperio. Estaba asustado, monje, y el miedo le impedía dormir; había acumulado, atesorado sus últimas fuerzas para conservarse en una absurda vigilia insomne, convencido de que si se dejaba vencer por el sueño todo lo demás habría terminado. Por eso hizo mantener encendidas en torno a su lecho cien lamparillas de aceite y cincuenta candiles, y las luces amarilleaban sus grandes ojos abiertos, aquella piel que era ya pellejo, donde los colores del ocre al morado iban dibujando el fin.

Mi padre no quería morirse y, mientras a sus espaldas de moribundo muchos —entre ellos yo— preparaban su sucesión, él se empeñaba en seguir dirigiendo el Imperio desde la cama. ¡Emperador de todas las Españas...! Curanderos, taumaturgos, médicos, milagreros, preparaban sus remedios y obispos y abades pronunciaban letanías y responsos prematuros, mientras él se obstinaba en pervivir, como si la promesa de resurrección —esa en la que tú confías— a él no le bastara. Yo sé que él hubiera querido resucitar también al tercer día, que soñaba con lápidas levantadas, con un cuerpo joven recobrado que le permitiera vestir de nuevo la loriga y el manto, cuerpo joven que le hiciese recuperar el trote de todas las moras de su reino.

Cuando yo muera, monje, no quiero lamparillas encendidas, ni candiles que evidencien el color obsceno de la muerte. Mi padre se resistía a partir y su pecho se agitaba como se dilatan acompasadamente las tripas de las ranas, y su boca se abría en una absurda bocanada, como si pretendiera aspirar de golpe todo el enrarecido aire de la estancia. Me llamó a su lado y yo apreté en la mía aquella mano que era ya la mano de la muerte, y por primera vez compartí su miedo y deseé frente a él que aquello terminara pronto.

Durante sus últimos meses, Roberto, mi padre había cambiado sensiblemente. Todas las mentiras que había utilizado a lo largo de su carrera de gobernante se habían convertido en justificaciones que parecía necesitar creer y, sobre todo, hacer creer a los demás: la lucha contra el infiel, los acuerdos con el Papado, la extensión de la única y verdadera religión, eran recitados que, en sus labios de moribundo, adquirían un patético tono de cantinela de feria. Yo siempre, hasta entonces, había pensado que sus proclamas sobre la unidad de los reinos que «dichosamente» se había concretado en su persona, eran sólo táctica de político y oportunismo de militar; me parecían razones destinadas a que la corte, y sobre todo mi pueblo, olvidara el origen de aquel poder: García y Sancho resultaban así dos diminutas piezas de un complicado entramado que, remodelado por la mano de la Providencia, había servido para la reconstrucción del Imperio bajo su mano tutelar

Desde Santa Gadea mi padre había tenido que ser cauto para evitar que se propagasen juicios inoportunos o rumores incómodos; la idea de imperio, cruzada y unidad resultaba suficientemente fructífera para atajar cualquier comentario desafortunado o malintencionado y para desanimar toda intentona dirigida a desmembrar lo que él con tanto esfuerzo había agrupado.

Pero en los últimos días él mismo parecía convencido de lo que tantas veces había proclamado. Cuando me llamó para proponerme que me casara con el de Aragón, nada quedaba ya de aquel luchador que yo tanto había admirado y temido. Era sólo un viejo encogido que pronunciaba palabras inaudibles y que citaba constantemente a Dios como testigo de sus «heroicas» victorias.

Hacía calor y las luces cambiantes de las lamparillas, y sobre todo aquel olor pastoso de la muerte, me impedían concentrarme; sentía la presión de sus dedos y miraba el agua turbia que empañaba sus ojos, mientras sentía que yo no podría contener las lágrimas. Pero era el rey y yo pronto iba a ser la reina. Hice salir a todos de la estancia y permanecí con él a solas para escuchar lo que pretendía decirme.

A lo mejor no pude oírle, monje; quizá todo lo que ahora cuento para ti lo escuché con los oídos del alma a través de aquella mano huesuda que presionaba la mía y que era por fin la mano de mi padre. En cualquier caso, hoy como ayer vuelvo a escuchar aquel discurso que parecía aprendido de memoria; mi padre me habló una vez más de la guerra contra el infiel, de los antiguos reinos por él reconstruidos, de la ampliación de las tierras de la cristiandad y, al final, casi sollozando, en un tono que ya no podía ser de mando, sino de súplica, me dijo que pensaba que yo, por ser mujer, no podría sostener el Imperio. Me habló de trampas y conspiraciones, de maniobras que se gestaban a sus espaldas y por último concluyó que tras mucho meditar y vacilar había recibido la iluminación de su Dios y él, que se había negado a que viviera su único hijo varón, le había hecho comprender que la única posibilidad de que el Imperio se mantuviera residía en que yo casara con el de Aragón, hombre crecido sobre el caballo en la lucha contra el moro, servidor de Dios, ferviente partidario de la Cruzada, maduro, virgen y capaz de prolongar la labor que él, mi padre, había llevado a cabo. La boda —terminó— garantizará además el crecimiento del Imperio ya que con «vosotros se unirán las dos coronas más poderosas de todos los reinos peninsulares».

Casándome con el de Aragón, mi padre pensaba desbaratar los planes de todos los que trazaban los suyos, mientras se prolongaba su agonía; el conde de Traba y Gelmírez se verían frustrados y la Orden de Cluny quedaría debilitada por la llegada de un rey que había sido amamantado por los caballeros cruzados.

No era un mal planteamiento y yo hubiera agradecido que mi padre, en aquella circunstancia, se hubiera dirigido a mí de igual a igual. Pero tal vez ya no era el tiempo: ni su tos repetida, ni sus espasmos, ni aquel estertor prolongado y hueco, propiciaban un marco adecuado para el reconocimiento. Mi padre se moría y yo, al fin y al cabo, era la mujer que él no había deseado, la niña que venía a ocupar el sitio del que mimó como heredero. «Humilde servidor de aquel que todo lo controla» murmuraba para sí, y yo limpiaba sus babas y sus flemas, mientras pensaba en su propuesta. Antes o después, eso lo sabía, tendría que volver a casarme; lo que mi padre pedía no era tan disparatado, ya que me serviría para neutralizar a Gelmírez, al de Traba y a Bernardo de Salvatat. Mi padre lloriqueaba y se moría, y yo pensaba en sus palabras. Gelmírez y el conde de Traba estaban demasiado interesados en ensalzar a mi hijo, aunque fuera a costa mía. Apreté su mano y asentí y él, sin verme, movió la cabeza y asintió a su vez, mientras aquel ronquido se hacía más seco y más brusco. Creo, monje, que tragué saliva y durante un instante los planes de la boda y el Imperio, todo quedó relegado ante aquel cuerpo que se debatía en la más cruel de las batallas. Tenía ante mí la verdadera cara de la derrota, una derrota en un juego en el que ya ni siquiera mi padre controlaba las piezas. Aquella vez la Gran Señora se había sentado definitivamente en la cabecera y era su mueca descarnada la que afloraba en los labios abiertos del que fue mi padre.

Salí del cuarto, monje, y busqué a Zaida. Había decidido que me convenía pactar con ella, ya que le interesaba tanto como a mí cualquier prórroga que pudiera garantizar su permanencia en la corte. Yo mandaría legados al de Aragón para ponernos de acuerdo sobre las cláusulas de nuestro posible enlace y todo debería hacerse antes de que la muerte se hiciera pública. Por eso llegamos a un acuerdo: Cidellus, el médico de mi padre, procedería al embalsamamiento y ambos mantendrían en secreto el fallecimiento del rey hasta que yo les diera aviso. Me despedí de Zaida y decidí actuar con rapidez; sabía que no podría equivocarme en los próximos pasos.

Ahora, Roberto, voy a hablarte del conde, de mi conde.

—¿El conde de Candespina? —preguntas y sé que en tu curiosidad hay además presentimientos. Te pareces a él, monje. Sus manos, como las tuyas, largas, no desgastadas por el trabajo y apenas por las armas, aprendieron a recorrer mi cuerpo y a darme ese placer que casi nunca da sorpresas, pero siempre es certero.

Gómez González, conde Candespina, el que murió en el llano que hoy lleva su nombre, aquel que quisiera tener ahora aquí conmigo, como te tengo a ti, monje, aquel por el cual abro mi boca y dejo que el aire penetre dentro, que me golpee, que me azote para ver si en la brisa vuelve algo de su suavidad, de su dulzura.

Aquella noche llamé al conde a mi lado y le conté mis planes. Él no podía sentirse defraudado, ya que estaba convencido, como por otro lado lo estaban todos en mi corte, de que tampoco esa vez sería él quien pasara a convertirse en mi esposo ante Dios y ante los hombres. Era un súbdito atento, monje, un súbdito cariñoso y dócil en quien se podía confiar, que amainaba mis aburrimientos y soportaba mis malos humores; que se hallaba dispuesto a compartir mis noches y a participar incluso en mis infidelidades.

Se iluminaron entonces sus ojos pardos, oscuros como los tuyos, monje, y había picardía socarrona en su dictamen:

—Mi reina se merece un garañón y no un...

Todos lo sabían: el de Aragón aborrecía a las mujeres y sentía debilidad por los jovencitos; poseía una exaltada mística religiosa y le gustaba demasiado compartir su caballo... Treinta y seis años y ni una sola mujer.

Conde, te contesté aquel día que a mí no me preocupaba el problema de la descendencia, porque tenía ya un hijo y una hija. Mi hijo Alfonso Raimúndez a mi muerte heredaría ambos reinos. Por esos las manías y los gustos de mi posible esposo resultaban ventajosas. También a ti te lo parecieron entonces: el de Aragón te quitaba a la reina, pero no a Urraca; mi matrimonio se reduciría a un contrato y me daba lo mismo que garantizase o no la sucesión, ya que yo contaba con quien iba a prolongar mi obra. Lo demás seguiría arreglándose como hasta aquel momento: a nadie iba a extrañarle que una reina desatendida buscara en otra parte lo que su marido ni iba a darle.

—El rey de Zaragoza le ofreció rehenes y le dio a elegir entre todas las que tenía en el harén y ese que quieres por marido contestó que un buen soldado debe vivir siempre entre hombres.

—Ya. Yo también soy soldado.

Tan soldado como podían serlo sus caballeros cruzados y bastante más que ese monje, el abad Esteban, de quien se comentaba que había velado con excesivo celo por su monarca desde que éste era un niño. Si Alfonso rechazaba mi cuerpo, no le haría ascos ni a mi colaboración ni a mis huestes. Yo era la reina y como tal reclamaba a Alfonso. Para lo demás contaba contigo, conde, y también con don Pedro de Lara.

Don Pedro... ¿Ves, Roberto?, también en el recuerdo vuelven juntos, como debieran haber permanecido juntos en aquel llano aquella mañana en que las nubes fueron negras; juntos, como lo habían estado a lo largo de aquellos años en que fueron mis compañeros y compartieron el lecho de su reina.

No voy a hablarte de ellos todavía; no voy a narrar la risa a destiempo de don Pedro, su carcajada de gozador, sus mejillas rojas, ni te voy a hablar de la ternura de Gómez González, de su fidelidad, de su delicadeza. Esos, monje, no son temas para una crónica.

¿Te acuerdas, allí donde te encuentres, Gómez González, de aquellas tardes, cuando a los dados os jugabais la cama y la reina? Yo os necesitaba a los dos. Por un lado gustaba de bendecir tu cuerpo, de detenerme en tus caderas, de cosquillear tu espalda alargada de adolescente sin madurar; pero quería también la petulancia y la seguridad de don Pedro, su fuerza, su impertinencia, su abrazo inventivo y prolongado... Conde, dejo que el aire me roce, como cantaba el poeta, para ver si en su brisa me vuelves de algún modo. Ahora ya no estás, ni tú, ni el de Lara y de pronto dejo de entender la necesidad de esta crónica. Éramos tres y nunca debió permitir don Pedro que tú murieses en el llano, nunca debió propiciar aquel que era tu hermano esa muerte que cayó sobre mí... Dejemos eso ahora: una escaramuza, una trampa, un olvido. ¿Quién puede ya pedirnos cuentas? ¿Fuiste tú, Pedro de Lara quien le abandonó o fui yo quien le puse en tus manos?

Pero no puedo distraerme; no es eso lo que debo contar. Una crónica no debe detenerse en sentimientos y en personajes secundarios. Pretendía hablar de mi matrimonio con Alfonso y de como tú, conde, eras la persona adecuada para ayudar a tu reina.

Gómez González partió aquella misma noche para entrevistarse con el rey de Aragón, le cuento al monje y él, como si no quisiera saber, como si presintiese las cosas que no deben ser dichas, pregunta por don Pedro.

—¿Y el de Lara? —dice y yo sé, a través de su pregunta, de su vacilación, de sus ojos hundidos, que él conoce la historia, que quisiera saber de los amantes de su reina, de aquellos amigos que lucharon juntos por sostenerla, por rescatarla; que sabe también de aquella traición y aquella encerrona en el llano de Candespina, donde don Pedro de Lara abandonó al conde, cuando ambos luchaban por mí, frente al ejército de mi esposo Alfonso.

El de Lara, no, monje. Con don Pedro no podía contar en aquella circunstancia. Él no podía aceptar mi boda, y no porque pensara ya entonces que él también o sólo él tenía derechos sobre mi mano y mi trono, sino sobre todo porque don Pedro despreciaba a los hombres como Alfonso.

Don Pedro no podía aceptar las situaciones intermedias. El mundo para él se dividía en machos y hembras, y todo lo demás eran simples maldiciones de la naturaleza o castigo de la divinidad; dependía del estado de su fervor religioso al emitir el juicio. Los hombres como Alfonso le parecían fenómenos incompletos de una única especie posible: la suya, que se concretaba en una capacidad amatoria nada despreciable y en una cierta fanfarronería de dueño del corral, corral en el que admitía a Gómez González, porque, en el fondo, monje, él también quería mucho, tal vez demasiado, a mi conde. Le quería casi tanto como yo, como un padre, decía, como un amigo protector que reconoce en el otro cierta gallardía y sobre todo la gracia.

¿Ves? Las cosas nunca son del todo sencillas. Don Pedro me deseaba a mí, pero quizá su deseo no hubiera sido el mismo si no hubiera existido también Gómez González; él, que despreciaba a Alfonso, se enternecía con el conde, le gustaba saber que era también suyo a través mío. Nunca se hubiera atrevido a más; él no era como al-Mutamid; la indiferencia de los musulmanes para compartir su lecho con doncellas o efebos le parecía muestra de la debilidad de una raza a la que, por otra parte, admiraba como guerrero. Y, sin embargo, jugaba con el conde, le dejaba hacer, se reía de su debilidad; pero su risa era también tributo y entre ambos se establecía un duelo de expectativas y de chanzas:

—Tú eres la gacela a quien el moro quería enamorar —decía el de Lara y Gómez González respondía para enojarle o encelarle:

—Y tú, el león que quiere apoderarse de mí, cuando a mí no me ha pasado por la cabeza establecerme en tu selva.

Yo era la selva en la que ambos se habían aposentado; yo, gacela, liebre, león, tigre y serpiente para ellos. Y ahora estoy aquí, sola, reinventando mi historia; esta historia, monje, que tal vez sin ellos ya no tenga sentido.

Pero tienes razón, Roberto; no es para ellos para los que debo contar. Tú y todo mi pueblo querríais saber los detalles, por qué, por ejemplo, Gómez González fue abandonado en el combate cuando fue cercado por las tropas de Alfonso, ese mismo rey Alfonso, mi marido, a quien fue a entrevistar para que la boda pudiera llevarse a cabo. Y por eso, porque sé que tienes razón, debo volver a aquella noche.

Gómez González partió para reunirse con Alfonso y yo, mientras, decidí contarle a mi ayo mis propósitos, porque sólo él estaría dispuesto a apoyarme en la corte, ya que la voluntad de mi padre era la suya.

Pedro Ansúrez se sintió sorprendido por mi decisión y lo que consideraba mi sometimiento. Al fin y al cabo, él consideraba aquel matrimonio como una bendición porque serviría para neutralizar en Castilla y León a todos aquellos que podrían acabar por desplazarle. Además, debía suponer que Alfonso, el de Aragón, seguiría tras la boda enzarzado en sus contiendas y yo, mujer, pasaría a ocupar el papel de mi madre; el enlace le garantizaba así una cierta preeminencia en la corte, preeminencia a la que estaba demasiado habituado y, al mismo tiempo dejaba fuera de juego a Gelmírez y al de Traba, sus más fuertes adversarios.

Mi ayo había sido el forjador, junto a mi padre, de lo que él llamaba su Imperio. Era su hombre de confianza, el que probablemente sostuvo la mano de Bellido Dolfos, cuando el primer obstáculo para la unidad de los reinos se deshizo ante la ciudad de Zamora. Era un hombre tenaz, un consejero cabezón y rudo que unió su destino al de mi padre desde que le acompañó en su primer destierro en la ciudad de Toledo. Durante todo el tiempo fue su sombra; él patrocinaba alianzas y sugería combates. Por eso no era extraño que, a la muerte de su amo, se considerase el más apto para regir lo que junto a él había construido.

Ansúrez, Roberto, tú lo sabes quizá tan bien como yo, era la otra cara de mi padre; su más seguro servidor. Cuando mi padre le nombró Alférez, tras el asunto de Santa Gadea, después de quitar de en medio a Rodrigo, no hizo más que consolidar un hecho que todos en la corte conocían: la corona la llevaba mi padre, pero de algún modo la compartía también Ansúrez. Y por eso todos le temían; de joven por su facilidad para la mudanza y la calumnia y por la rapidez de su brazo, y de viejo por sus arrebatos de malhumor y su habilidad para hacer desaparecer a aquellos que le molestaban... Un leal servidor, la mano derecha de mi padre.

Muchos piensan, monje, que mi padre fue muñeco en manos de mi ayo; pero yo sé que no era realmente así. Mi padre se fiaba de Ansúrez porque en él tendría siempre a un vasallo y nunca a un contrincante; vasallo suficientemente hábil para sugerir tratados y componendas que a otros se escapaban y, al mismo tiempo, cómplice del que no se puede prescindir porque sabe demasiadas cosas.

Es difícil dejar que mi crónica siga un orden. Los nombres se enlazan y me arrastran, como se enlazan los recuerdos. Constanza, mi madre, Roberto, odió siempre a Ansúrez, como aborreció siempre a mi tía.

—Ella y Ansúrez manejaban a tu padre. Ella engatusó a don Pedro y a través suyo hizo siempre lo que quiso de su hermano.

¿Quieres que lo repita para ti, Roberto? Mi tía Urraca y Ansúrez convencieron a mi tío Sancho, cuando éste había desterrado a mi padre, para que le permitiese establecerse en Toledo, poniéndose de acuerdo con el moro que entonces gobernaba la ciudad. Y ellos fueron también los que se encargaron de amotinar las tierras de Zamora y León para oponerse a Sancho y favorecer a mi padre.

Bonita historia: una hermana que toma partido en un duelo entre hermanos.

Eran tres, monje: Urraca, mi padre y Ansúrez; un hermano, una hermana y un leal servidor, y algo me impide hoy recomponer aquí para ti lo que ese triángulo me sugiere, como ocurrió aquel día del escándalo, cuando la niña que era yo escuchó por primera vez cosas que no deben ser repetidas.

—Llevas el nombre de ella —decía mi madre y había sombras oscuras en su cara—. Aquel primer pecado sirvió para borrar los siguientes crímenes.

Mi madre tenía celos de mi tía y sugería lazos que yo, niña, me resistía a entender.

—Ella y tu padre...

Ansúrez tapadera, Ansúrez fiel criado de su señor y de su hermana. Un incesto primero anula la mala imagen de un fratricidio.

> *Urraca y Alfonso se van a casar*
> *y dice mi madre*
> *que es pecao mortal.*

También las canciones se olvidan, pero podía ser como ésta la canción que escuché, y los chavales que la cantaban querían golpearme con las palabras a mí, a Urraca, a la hija del rey, a mí que llevaba el nombre de mi tía...

Quizá aquella canción y otras parecidas eran tan sólo

premonición de otra Urraca y otro Alfonso que habrían de casarse, de esa Urraca que sería yo y ese Alfonso que era mi primo. También incesto el nuestro, monje, o por lo menos ese fue el argumento que blandieron todos los que pretendían anular mi matrimonio.

Yo, Urraca, estaré ahora por las plazas en la boca de los niños, igual que mi padre y mi tía flotaban en la rueda y en los cantares de ciego.

Pero mi historia es menos excitante que la suya. Si quieres, yo puedo cantarla para ti, cantar su historia, como la cantaría un trovador, poniendo énfasis en los momentos culminantes. Un incesto y un crimen: Érase una infanta que se enamoró de su hermano y le incitó para que todos los reinos fueran suyos.

—Ella tuvo la culpa de todo —repetía Constanza—. Tu padre era como un perrillo faldero cuando estaba a su lado.

«Urraca y Alfonso se quieren casar...» Quizá mi viejo ayo recordó también las coplillas cuando aquella noche le comuniqué que había decidido casarme con Alfonso de Aragón. Tal vez revivió los antiguos tiempos, por eso fue el primero en prevenirme:

—Tú y él sois biznietos de Sancho de Navarra; habrá muchos interesados en sacar a la luz ese parentesco.

Sí. Hubo muchos interesados, pero yo ya les conocía: por un lado Gelmírez y el de Traba, y por otro el abad Bernardo. Tanto Ansúrez como yo sabíamos que todos ellos estarían dispuestos a recurrir al Papa para exigir la excomunión, si la boda se llevaba a cabo, pero sabíamos también que su gestión sería menos eficaz si el matrimonio se había consumado.

El arzobispo Bernardo había decretado rogativas por el alma de mi padre, sin aguardar siquiera a que hubiera muerto. El arzobispo, monje, estaba nervioso. Él, que había sido el gran aliado de mi madre, había luego cifrado todas sus esperanzas en Raimundo, mi esposo. Pero, cuando Raimundo murió, vigilaba desde cerca para que su influencia y la de Cluny no sufrieran merma. Y Bernardo no podía tolerar la injerencia en Castilla de esos monjes a caballo que rodeaban y mimaban a mi futuro esposo... Pecado mortal, pecado mortal... A mí, Roberto, me importaba poco la excomunión, pero una excomunión sólo podía serme perjudicial. Por eso era preciso atar bien los cabos. En eso coincidían el viejo ayo y la propia Urraca.

—Si todo sale bien —dijo Ansúrez— tendrás que sustituir al arzobispo; no son monjes lo que vas a precisar, sino hombres de guerra.

Y así nos pusimos de acuerdo: él saldría de la corte, fingiendo un destierro que tranquilizara los ánimos y equivocara de mis intenciones; tardaríamos cinco días en anunciar la muerte de mi padre, cinco días que nos servirían para aguardar el regreso del conde; luego, proclamada la muerte, se procedería a lutos y penitencias en todo el reino. Yo vestiría sayas de cuerda para rogar la absolución de mis culpas y las de mi pueblo, e inmediatamente después haría una declaración pública de la voluntad de no unirme con nadie hasta que el dedo de Dios se hubiera manifestado. Mientras, se prepararían las bodas y, en septiembre de ese mismo año, yo y Alfonso nos encontraríamos en el castillo de Muño, próximo a la ciudad de Burgos y cerca, por tanto, de las tierras de Ansúrez.

Mi ayo me miró con respeto aquella noche, como si reconociera en mí por primera vez a la sobrina de Urraca.

—Ella también... —Pero no era momento para la nostalgia. Al amanecer, Zaida vino para comunicarme que mi padre, Alfonso VI, había dejado de existir. Cidellus procedía al embalsamamiento y ella acudía a pedirme consejo, como si quisiera consultar por su destino. Sus ojos aquella vez estaban secos y tenían luces amarillas. No hubo reproche en su despedida; era una constatación, algo que se veía obligada a formular como si se tratara de la última voluntad de mi padre:

—Él no quería verte a ti en el trono —dijo. Asentí, la recordé nuestro pacto. Luego, ella se retiró y comentó en voz alta, para sí misma:

—Un guerrero debe morir en el campo de batalla. Tu padre lo sabía.

PARTE SEGUNDA

...allí sale gritando la guitarra morisca
de las voces aguda e de los puntos arisca
el corpudo laúd que tiene punto a la trisca
la guitarra latina con estos se aprisca
el rabé gritador con la su alta nota
cabe él el orabin teniendo la sua rota,
el salterio con ellos más alto que La Mota
la viuela de péñola con estos aí sota...

Arcipreste de Hita

VI

El hermano Roberto se sienta a mi lado y escucha. Yo, cansada de la escritura, fatigada por el monólogo que nunca tendrá respuesta, recurro a él, para que me ayude a ordenar los pensamientos. Le hablo entonces de Poncia.

—La bruja —dice, y sé que le asusta la imagen de una reina experta en los conjuros. La bruja, dice bajito el hermano Roberto, y se hace cruces para alejar los malos espíritus.

—Ella me ayudó siempre —digo—. Ella me dio la fuerza.

El hermano Roberto menea la cabeza y condena, y yo narro para él la historia de mi predestinación, rememoro aquel frío, aquella lluvia sobre las rocas blancas de Muxía.

—Fue un largo viaje —le cuento—, y el olor del mar, fuerte, ácido, casi mareaba. Sobre nuestras cabezas no brillaban estrellas, ni luna. Sólo el eco ronco del mar, un mar que parecía hablarme, mientras Poncia recitaba letanías.

Reza el monje, mientras me escucha, y adivino temblores en sus ojos que se esconden, miedos, y yo recuerdo el choque del agua contra el acantilado, la lluvia persistente sobre mi espalda desnuda.

—Yo tenía doce años. Poncia canturreaba, mientras caminábamos sobre las rocas; iba descalza y me hizo descalzarme; abrió el zurrón y comenzó a mordisquear sus hierbas. La luna se destapó y yo supe que habíamos llegado al fin del mundo. Había truenos o tal vez no... tal vez el tiempo pasado introduce un fondo de sonidos para completar la memoria. Yo, en aquel anfiteatro de piedra, me asusté, y cuando Poncia me hizo tumbarme sobre la barca de piedra, comencé a llorar.

Ara blanca que no fue de sacrificio, lugar santo donde Poncia me ungiera como única sucesora en la tierra de la gran reina madre, la inmortal, aquella que a través de las aguas desembarcó en Muxía, navegando sobre la losa inmensa en la que yo creía columpiarme.

—Yo lloraba —continúo para el monje, que me mira desalentado, que parpadea ante la herejía, que no se atreve a nombrar mi desvergüenza.

—Poncia colocó sobre mi pecho una pata seca de oca. Antes me hizo mascar aquellas hierbas.

Tuve miedo. ¿Sabes, Roberto?, tu reina-niña tembló aquella noche, en aquel descenso a los infiernos. Ellos se acercaban. Era una insólita procesión de encapuchados que provenía del mar, y ellos, los que no tenían rostro, derramaron sobre mi carne un agua blanca y azul, que se teñía de rojo al caer sobre el triángulo que la pata de oca había dejado marcado sobre mi piel. Ya no podía ver a Poncia. Sólo aquel soplo helado de las voces, que parecían provenir de otras esferas, y yo sola en medio del mar, cabalgando sobre un caballo tan blanco como aquella barca de piedra.

El monje se santigua. Tal vez piense que su reina delira, que estoy inventando para él un nuevo cuento, un cuento que sirva para explicarle a él, y para explicarme a mí misma, por qué desde aquel día me supe elegida.

—Me pareció de pronto que la losa sobre la que me hallaba tumbada flotaba sobre el agua, caballo-barca donde permanecí desafiando al viento y al chapotear de las olas, mientras que la procesión de caballeros de la muerte, santa compaña que encendía sus velas en torno mío, se alejaba y, al final, todo el mar quedó encendido de pequeñas luciérnagas, lamparillas de aceite que formaban un altar en cuyo centro la barca, que fuera caballo sin freno, formaba cuna donde yo reposaba.

Mientras hablo para el monje pienso en la escritura, sueño con mi crónica. Escuché un día que las historias deben reconstruirse, y yo recompongo mi origen para el monje entre el rumor de aquellas olas, la blancura de aquel acantilado...

—Quizá dormías —dice él—, tal vez el diablo...

Las hierbas, las benditas hierbas que Poncia me enseñó a conocer y a utilizar. Un hombre, sin ser santo, sin mano del maligno, ni intervención de los infiernos, puede tener visiones. ¿Pero de dónde vienen, de dónde proceden esas caras sin rostro, aquellas luces? Uno puede, si lo desea, soñar despierto como yo soñé aquella noche entumecida por el frío y por la lluvia, encogida por las palabras de Poncia que traían un eco antiguo, cargado de sugerencias.

—Cuando desperté, amanecía. Mi cuerpo estaba completamente empapado, y Poncia permanecía callada, como si velase. Y entonces me miró y sonrió con aquella risa que me producía raros presentimientos y dijo: tú serás reina.

Sonríe también el monje ahora, y yo regreso a aquel momento, a aquel convencimiento... Si hasta entonces la idea de poder y de imperio, bajo el influjo de mi padre, había permanecido aletargada en mi corazón, desde aquella encerrona sobre las rocas blancas de Muxía acepté que los cielos o los infiernos estaban de mi lado y que aquella pequeña cicatriz triangular era el sello que ratificaba una lejana convicción. El surco en mi piel fortalecía y reavivaba mis más profundos deseos; aquella ceremonia, sobre aquellas rocas que año tras año he vuelto a visitar, fue el espaldarazo que vino a confirmar lo que dentro de mí se había gestado y sirvió para que asumiese como un reto la promesa que me brindaba una corona y un reino...

—Dios, a veces, nos elige por caminos extraños —sugiere el monje, y yo le dejo decir, mientras recuerdo a Poncia. Ella y su amor hacia mi madre fueron motor de un destino que yo antes, de algún modo, ya había elegido. Poncia tuvo fe en mí y yo desde aquel día confié en ella, y su confianza desencadenó esa voluntad y esa energía que tanto me ha ayudado, y por eso la conservé a mi lado y, una y otra vez, recurrí a sus conjuros, para que sus pronósticos siguieran confirmando y bendiciendo cada uno de mis propósitos.

Y por la misma razón, cuando Gómez González partió para ponerse en contacto con el de Aragón, yo convoqué a Poncia.

Poncia, al entrar, no besó mis manos, y con gestos de comedianta experimentada comenzó a dar vueltas sobre sí misma. Luego se acercó a mí y apoyó sus cabellos, desordenados y sucios como zarza enredada, sobre mi pecho. Yo entendía sus signos, sabía leer en cada uno de los surcos de su plegada frente y, mientras actuaba, debía mantenerme expectante, en silencio, como si sus ritos y sus pantomimas me fueran ajenos. Aquel día, cuando terminó de moverse, Poncia sacudió la cabeza negando y salió del cuarto. Por primera vez, en tantos años, la vieja no aprobaba mis proyectos.

Quizá debí hacerla caso en aquella ocasión; quizá mi camino hacia el Imperio no se hubiera torcido si hubiera interpretado la mirada reprobadora de Poncia y la hubiera asumido. Pero yo tenía tomada mi determinación y no quise entenderla. Por primera vez decidí que la voluntad de Urraca debía estar por encima de predicciones y presagios de mal agüero; al fin y al cabo, Poncia era ya una pobre vieja, una vieja que, desde que yo fuera niña, me había acogido bajo su protección y que deliraba por efecto de las múltiples pócimas ingeridas a lo largo de todos aquellos años, por aquellas hierbas que yo había aprendido a conocer y a manejar casi con su misma maestría.

Mi decisión ya había sido tomada, y el cuerpo embalsamado de mi padre, gracias a la pericia de Cidellus, era la garantía de que la senda se abría ante mí, sin sombras y sin guijarros. Poncia, por otro lado, era gallega y tenía debilidad por Gelmírez; era normal que sus votos se inclinaran contra el de Aragón, y yo hice mal en haberla convocado.

—Poncia no aprobó mi boda —le cuento al monje—. Cuando salió del cuarto, sus ojillos de gata vieja decían que debía casarme con Alfonso, pero yo no la hice caso, y a partir de aquel momento la consulté en muy pocas ocasiones.

El monje aprueba y sé que piensa en hogueras redentoras.

—También tu reina es bruja, Roberto. Yo, la ungida, conozco como Poncia los ungüentos adecuados y las hierbas precisas. Pero los ungüentos y los bebedizos no sirven demasiado..., sólo actúan, te digo, cuando la voluntad y el deseo se mueven en su nombre.

Roberto asiente sin comprender y yo le pido que se retire para volver a mi escritura. Quisiera concentrarme para volver a aquella escena primordial, a aquella noche de lluvia en los confines de mis tierras; pero sé que las visiones debilitan, cuando se las transcribe, que la imagen se dulcifica y se disuelve.

—Deberías pintar —le pido al monje— la procesión de encapuchados, la barca de piedra flotando sobre el mar, aquel cuerpo de niña, húmedo sobre la barca.

VII

Y los presagios [omens] dieron la razón a Poncia. Aquel día de septiembre en que por fin pudo llevarse a cabo el matrimonio, la helada asoló los campos de Burgos: helada temprana y hostil que hizo agriar el vino y descompuso los cuerpos.

Todo había sucedido de acuerdo con mis planes. Don Pedro Froilaz había acudido a visitarme a la corte para estar seguro de que nada ni nadie me haría olvidar los intereses de mi hijo y los de Galicia. Gelmírez permanecía callado, a la expectativa; creo que ninguno de los dos llegó a sospechar entonces que, mientras tanto, la entrevista de Gómez González con Alfonso había dado sus frutos y que la boda se había previsto para comienzos del otoño.

Los funerales de mi padre se revistieron de la solemnidad que un imperio debía a su soberano; a nadie pareció extrañarle mi retiro, ni mi convincente tristeza durante aquel verano. Fue un estío seco y duro, tan duro como sería inesperada y fría aquella helada de septiembre. A mi alrededor se hacían componendas; yo me retiré al monasterio de Sahagún, donde reposaban los restos de mi madre, y allí me mantenía distanciada de las demandas de leoneses, gallegos y castellanos. Todos respetaban mi silencio. Yo estaba convencida de que no podría confiar en nadie hasta que mi matrimonio se hubiera celebrado y permanecí en Sahagún hasta el mo-

61

mento de la boda. El día 17 de septiembre Alfonso acudiría al castillo de Muño y allí debería reunirme yo con él. La boda se celebraría en secreto, sin galas ni apenas testigos; sólo los necesarios para que quedara constancia de que se había celebrado.

Durante aquel verano yo preparé un minucioso tratado en el cual se precisaban las condiciones bajo las cuales se realizaba el matrimonio. En primer lugar, yo, Urraca, seguiría siendo reina de los dominios de Castilla, León y Galicia. Yo sería reina en mis tierras y Alfonso seguiría siendo rey en las suyas.

Pero a lo largo de aquellos tres meses mi primer proyecto se fue modificando y ampliando: ambos, Alfonso y yo, regiríamos todo el Imperio y si uno de los dos moría, el otro pasaría a ser único señor de todas las tierras. Si yo moría sin hijos, el Imperio pasaría a mi hijo Alfonso Raimúndez.

Alfonso tardó en firmar tal acuerdo, pero luego la misma idea que maduró en mi cabeza debió enraizar en la suya: a la muerte del uno, el otro heredaría el Imperio. Y además yo era mujer, y Alfonso debía creer que no tendría siquiera que esperar a mi muerte para desplazarme de las tareas de gobierno. Así que aceptó y sobre esas bases se convino nuestro enlace.

Tratados, contratos, cláusulas... Hoy no ha acudido a mi celda el hermano Roberto y le echo de menos y, de repente, esta crónica me parece vacía. ¿Qué he de contar? Las batallas, los cambios de humor, los acuerdos... Necesito conversar, necesito contarle al monje aquella jornada para que vuelvan las caras, resuenen de nuevo las palabras pronunciadas... para que todo adquiera vida.

Y le cuento a él, como si estuviera a mi lado.

—Yo, acompañada por Gómez González, había salido la tarde anterior del monasterio de Sahagún, para dirigirme al castillo de Muño, donde Pedro Ansúrez había convocado al prelado que celebraría la ceremonia. Cabalgamos durante la noche y ni las mantas de lana, ni el hábito de fraile con que me cubría, lograban darme calor. Era al amanecer cuando llegamos al castillo.

Y de pronto les tengo ante mí, como aquella mañana: Alfonso, tosco y turbio, malhumorado, y los otros dos, Esteban y Bermudo, con polvo de Cruzada en sus togas marrones.

Bermudo estaba sentado a los pies de Alfonso, como Zaida a los pies de mi padre; yo sabía por Gómez González que Alfonso le hacía compartir su caballo, como antes él mismo compartiera el de Esteban.

Si estuvieras aquí, Roberto, si acompañaras a tu reina como otras tardes, te hablaría de Alfonso, te describiría el rencor y los celos de Esteban, te hablaría de Felicia.

Felicia se parecía a mi madre; era, como ella, acaparadora y dominante, y como ella vivía rodeada de abades y cruces; construyó catedrales e introdujo en su tierra el mismo rito que Constanza implantó en Castilla. Pero Felicia no me tuvo a mí, sino a dos hijos, uno de los cuales había sido elegido por mí para que fuera mi esposo.

Me doy cuenta de que las crónicas, Roberto, son siempre incompletas, mentirosas... ¿Qué puedo yo contarte? ¿De cómo Felicia había educado a su hijo?, ¿de cómo delegó en el abad Esteban, porque un hombre nunca es del todo rival para una madre?

¡Felicia de Rouncy, la hermana de Eblo, ese aventurero que casó con una hija de Roberto Guiscardo y que intentó montar una insignificante cruzada para sumar tierras a la sede de San Pedro!... Cruzadas y sepulcros. Esteban, ¿sabes?, era compañero de Eblo y por eso conoció a Felicia y luego se encargó de la educación de Alfonso.

Si estuvieras aquí te hablaría de cómo para un hombre, por culpa de una madre que se niega a perderle, una mujer puede ser el horror y la culpa. Y la cueva, el pozo de pecado, la fosa. Y tú, Roberto, podrías comprenderlo: yo soy también para ti la que te atrae porque te hago sentir asco; soy sentina de inmundicias.

Para una madre, un amigo del hijo es mejor que una nuera. Por eso Felicia debió entregar con gusto al suyo a las complacencias cariñosas del monje guerrero: cruzada y religión y un hijo grande pegado para siempre a sus faldas, sin que arpía alguna pudiera disputárselo.

Si me oyeras, Roberto, pensarías que tu reina delira. No te gusta oírme decir estas cosas; son, piensas, producto de un mal sueño, de una mala intención. El mundo es claro y limpio como las aguas del río que contemplo desde la ventana de mi celda. Felicia por eso sería para ti lo que fue para tantos: una entregada madre cristiana que dio una sólida educación religiosa a sus hijos. Y ahí estaba, como resultado, Alfonso, grandullón y caprichoso como un niño; Alfonso, en manos del abad Esteban, aquel que, entre otras muchas cosas, le enseñó que hay puertas que no comprometen.

Mientras escribo tengo la impresión de que el tiempo desgasta y el relato convierte a los protagonistas en muñecos de feria; les roba la palabra, el gesto, y mi juicio les despoja, les desnuda. ¿Qué más te da, por otro lado? ¿Qué puede importarte a ti o a nadie lo que yo pueda ahora narrar de Esteban, de Felicia o del propio Alfonso? Quizá me he equivocado y debiera haberme limitado a contar un apólogo, un cuento, donde las marionetas adquirieran movimiento, gestos.

Verás, Roberto. Érase una reina que quiso casar con el monarca de un país vecino. Ella era viuda y todavía joven; él un buen mozo de treinta y seis años.

¿Te divierte más así? Ese príncipe soltero y grande era el segundo hijo de un matrimonio segundón y no tenía ningún derecho a la corona; pero algún duende o hada se complació en despejar los obstáculos para que aquel príncipe, destinado a jugar con sotanas y rosarios, heredase un trono.

Un trono que no le correspondía. Los cuentos y la realidad, Roberto, en ocasiones se confunden. Suponte que yo cuento éste para ti, como si se tratara de una historia de miedo... Mira, comenzaré por situar a los personajes. Ya teníamos al príncipe y a la princesa. Luego está la madre, la muy noble, abnegada, maternal, católica y poderosa Felicia de Roucy, hermana, como ya te he contado, de un aventurero sin demasiados escrúpulos que llevaba el sonoro nombre de Eblo.

Eblo había estado en tierras lejanas, allí donde el sol se hace rojo y grande al atardecer y enciende el mar antes de ocultarse. Eblo era hombre de mundo y Esteban le había acompañado en sus correrías.

Dos tuvieron que morir para que mi futuro esposo heredase la corona. Y no hubo para él ningún Santa Gadea que pusiera en entredicho la santidad de su coronación... Por eso tampoco soy yo quien para despertar sospechas, crear inquietudes, fomentar la duda. Lo cuento para ti, para que veas que los argumentos pueden retorcerse, ganar en coherencia, alumbrar sentidos.

No; yo no pretendo insinuar en mi crónica que Felicia, Esteban o el propio Alfonso tuvieran intervención alguna en la muerte de su hermanastro Pedro. Además, si lo dijera, nadie me escucharía; como nadie quiso oír a Inés de Poitiers, la mujer de Pedro, cuando reclamó venganza y pidió que se iniciara un juicio que pusiera en claro la muerte de su marido.

Las historias de familia suelen ser truculentas. Aquel

angelito inocente que no conocía mujer, iba a pasar a ser mi esposo, y yo todavía no podía conocerle, como tampoco conocía a Esteban, ni a Bermudo, aquel monje, casi tan delicado como tú mismo, que se movía alrededor de Alfonso con ademanes de damita respetuosa. No podía conocerles y puede que nunca llegara a conocerles después. Las personas no se reducen a unos apuntes, a unas pinceladas trazadas con rapidez para redactar una crónica...

¿Te das cuenta, Roberto? Cada vez que quiero hablar de él recurro a la perífrasis y, sobre todo, a los otros, a los que le envolvían y le mimaron, y esto podría llevar a confundirte, podría hacerte creer que Alfonso era un hombre débil, sin carácter, un pobre hombre manipulado por una madre dominante y un abad excesivamente cariñoso. Y no era así. Alfonso, crecido en el caballo, amamantado por monjes y leyendas religiosas, tenía una voluntad inquebrantable y, aunque fuera capricho de niño mal criado el origen de esa voluntad, era inmanejable, si él no había decidido previamente ceder a lo que de él se requería.

No era Esteban quien mandaba, sino Alfonso. Pero eso lo entendí más tarde. Esteban adoraba a su criatura y de maestro e iniciador había pasado a ser atento siervo.

En Alfonso coincidían una curiosa mezcla de cabezonería y terquedad con unos arrebatos de ternura que sirven quizá para explicar la confusión de aquellos años que vivimos juntos. Pero hasta la ternura era en él cálculo; cálculo destinado, por un camino más sutil, a hacer que se cumplieran sus deseos. Por eso conmigo usó tantas veces de ella como utilizó también y simultáneamente la altanería y el desprecio. Eran modos diferentes de manifestar su voluntad, maneras de niño que reclama constantemente la atención y que es capaz de pasar de la rabieta al mimo, si éste resulta más adecuado para conseguir sus fines.

La ceremonia fue breve y fue Ansúrez quien se encargó de la lectura de las cláusulas del contrato.

Todo había concluido: Alfonso era desde ese instante mi marido ante Dios y, sin embargo, todos los allí presentes sabíamos que para que el matrimonio tuviera validez no podía reducirse a una simple bendición del abad y a una firma del contrato por ambas partes. Tanto Bernardo de Salvatat como Gelmírez estarían dispuestos a remover Roma con Santiago para lograr que el Papa declarase nulo el matrimonio, especialmente si ese matrimonio no había sido consumado ante los hombres.

Alfonso debía partir al día siguiente y yo debía apresurarme a regresar a Toledo para impedir cualquier brote de conspiración. Por eso el matrimonio debía concluir aquella noche con todas sus consecuencias. Cuando Alfonso y yo nos separásemos al día siguiente tenía que haber testigos presenciales de que éramos ya el uno del otro.

Y así fue. El sexo no se habla. Alfonso se resistía a dirigir aquella contienda y los testigos comenzaban a desanimarse. Fue entonces cuando tuve un presentimiento y ofrecí mi espalda y fue entonces cuando, ante la sorpresa de Ansúrez y la rabia de Esteban, mi esposo comenzó a ser tal, aunque no resultara fácil que de aquella unión viniera descendencia alguna. Pero eso ni Esteban ni Ansúrez iban a contarlo. Yo había sido de Alfonso... Creo que el abad Esteban cerró los ojos y contuvo la ira; Bermudo, mientras tanto, arrodillado en un rincón, rezaba jaculatorias y, en algún momento, me pareció que lloraba, y yo, a mi vez, olvidada de ambos y olvidada del reino, comencé a darme cuenta de que aquel niño grande había tenido un estupendo maestro y, a mi manera, comencé a quererle. Puede ser que ese fuera mi segundo error y puede ser que también fuera el suyo. Seguramente si Alfonso y yo, aquella primera noche, no nos hubiéramos encontrado, las cosas del Imperio habrían seguido su curso y ahora yo no estaría aquí, en este monasterio, intentando contar una historia que tal vez, como el sexo, no puede contarse.

VIII

Cuatro reconciliaciones en apenas cuatro años de matrimonio. Urraca, la reina loca, dicen muchos. Urraca títere, Urraca inconsciente, Urraca histérica...

Me cuesta reconstruir aquellos años y, sobre todo, es difícil reconstruir los sentimientos. Nunca Gelmírez y los demás perdonaron mi boda. Pero eso yo ya lo había previsto. ¿Qué sucedió entonces? ¿Por qué quien el día 19 de septiembre se convirtió en mi marido fue en seguida única causa de todos los males que habían de acaecerme? ¿Por qué vacilé y no acepté desde el principio los consejos de los que me incitaban a renunciar a mi matrimonio, para ocuparme tan sólo de consolidar un trono que muchos, aprovechando la inoportunidad de la boda, lucharon por hacer suyo?

Bernardo de Salvatat se apresuró a sacar a la luz el asunto del parentesco y comenzó a manejar la amenaza de excomunión: temblaba ante la perspectiva de que menguaran los privilegios de Cluny y ver al mismo tiempo ensalzados a aquellos caballeros que pretendían servir a Dios a lomos del caballo y con las armas en la mano. Por eso reaccionó con prontitud, enviando legados a Roma, donde contaba con el apoyo del Papa Pascual.

Gelmírez se sintió traicionado y, por primera vez en su vida, unió sus esfuerzos a los de Bernardo. Yo me encontraba aislada en la corte y todo parecía ponerse en contra mía. Sólo Ansúrez, Gómez González y el de Lara, seguían prestándome su apoyo; Pedro Froilaz, influido por el Obispo, me volvió la espalda y a mí, ante la situación, sólo me quedaba un recurso: llamar a Alfonso a mi lado, para que me ayudase a consolidarme en el trono; pero Alfonso estaba ocupado en las fronteras y todo se aceleraba. Por eso decidí ser prudente y, antes de que la excomunión fuera un hecho, me ofrecí a firmar una tregua: a través de Gelmírez hice llegar al conde de Traba que estaba dispuesta a someterme a sus deseos y a aceptar la decisión del Pontífice.

Y así lo hice y por el momento los ánimos se apaciguaron. Fueron meses de gran actividad y, tras mi entrevista con Pedro Froilaz, parecía que todo se enderezaba. Pero yo, en realidad, sólo buscaba tiempo: tiempo para engañar a Gelmírez, tiempo para calmar al de Salvatat, tiempo para comprar al legado pontificio, tiempo para que los ejércitos de Alfonso tomaran posiciones en tierras gallegas.

No sé cuáles eran las intenciones de Alfonso en aquel momento; sé, sin embargo, cuáles eran las mías: yo tenía que recuperar a mi hijo, quitárselo al de Traba, ya que mi hijo, Alfonso Raimúndez, era mi verdadero competidor, y sólo manteniéndole bajo mi control podía impedir que surgiera en torno suyo una reivindicación dinástica, que tendería a desplazarme. Por eso convoqué a Pedro Froilaz en León, pidiéndole que llevara al niño consigo: le aseguré que mi arrepentimiento era sincero y que estaba decidida a abjurar, cediendo la corona a mi hijo, una vez que hiciera renuncia pública de mis esponsales. Se trataba de montar una conmovedora ceremonia en la vieja corte, renunciando a mi esposo y a mi trono, para luego recluirme en un convento.

Pedro Froilaz era un hombre tozudo, un hombre de

guerra que había abandonado los modos de la corte para rodearse de un marco idílico de veneración a la tierra y a sus antiguos privilegios. Era de los de «al pan, pan, y al vino, vino» y no entendía de demasiadas sutilezas; si yo era gallega y madre, mujer y soberana, parecía evidente que mis deberes y por tanto mis reacciones deberían seguir ese mismo orden; primero mi vinculación con el terruño, la heredad, lo más sagrado, y por esa ligazón debía inclinarme a anteponer —como por otro lado hacía el propio don Pedro— los intereses de mi país gallego a los de todo el Imperio.

En segundo lugar era madre y, en tanto que tal, no podía traicionar a la «voz de la sangre» que me ligaba irremediablemente a mi hijo, y, en tercero, mujer y en este punto don Pedro no admitía matices. Mujer era para él síntoma de debilidad e inconsecuencia: en tanto que mujer había caído en la trampa tendida por Alfonso, pero también, en tanto que mujer, sería capaz de escuchar con sometimiento y respeto a hombres más versados que yo en los asuntos del reino.

Mi condición de soberana quedaba así postergada y aparecía como superpuesta, siempre que no entrara en contradicción con cualquiera de mis otros atributos. Pedro Froilaz era incapaz de atribuir más voluntad de mando a una mujer que la precisa para dirigir una hacienda o controlar las labores de la granja, y por eso, ante mis promesas, no vaciló en trasladarse a León, acompañado de mi hijo.

Me canso. Cada vez que la historia requiere un orden, una cronología, unos hechos, la pluma pesa y siento la nulidad de mi tarea. No son batallas lo que quiero contar.

El hermano Roberto ha estado conmigo toda la tarde y me incita con sus preguntas a detenerme en los detalles. Los nombres son para él símbolos de una historia de la que nunca fue protagonista, una historia que sufrió sin comprender, como la sufrieron todas las gentes de mis reinos. Nombres, cambios de humor: Ansúrez, Gelmírez, el de Traba...

—Hubo guerras —dice—. Fue tiempo de hambre y guerra.

A él le dan lo mismo nuestras vacilaciones, nuestros cálculos: ni él ni los suyos supieron nunca, ni sabrán por qué de pronto los campos de Castilla, León y Galicia tuvieron que soportar el peso de las tropas y el saqueo, y la presencia molesta de los cadáveres, agostando el trigo. Pero se encandila con los nombres y prefiere la anécdota:

—Don Pedro era comilón y lujurioso; cuentan...

Sí. Comilón y lujurioso y torpe. Pero eso no importa demasiado. Yo he tenido que tratar siempre con hombres como Pedro Froilaz y sólo ahora, cuando ha pasado el tiempo, puedo verles a él y a los demás bajo un prisma que se ilumina con tus preguntas. Entonces no, entonces él era tan sólo, como lo eran los otros, un aliado o un enemigo, aquel que tenía que someter o neutralizar, el que tenía a mi hijo.

Para ti don Pedro tiene algo de sacamantecas y me cuentas versiones de sus hazañas que me devuelven a un don Pedro real, mucho más real que aquel que yo creí haber conocido. Una reina en el trono, ¿sabes, Roberto?, apenas tiene tiempo para los detalles. ¿Cómo iba a preocuparse de aldeanas violadas, de alegres fiestas de campesinos, montadas para colmar los desvaríos de un conde viejo y siempre insatisfecho? No hay derecho de pernada que pueda dar cuenta de los excesos de un viejo glotón y acostumbrado a salirse siempre con la suya.

—Mi madre se santiguaba cuando tenía que nombrarle —cuenta el monje—. Dicen que cuando sus hombres se acercaban al pueblo, corrían a ocultarse todas las que en ese momento se hallaban embarazadas. Es un gusto raro, un gusto poco común...

Ese viejo, comilón y lujurioso, con sorprendentes debilidades que sólo tú, Roberto, ahora me descubres, era para mí el que controlaba a mi hijo. Fíjate, monje, si yo entonces hubiera tenido tiempo para detenerme a imaginar los gustos del conde, si alguien como tú me hubiera revelado sus puntos flacos, tu reina, ésta que ves aquí, se hubiera precipitado para buscar en las cortes a las que por su estado fueran regalo propicio para compensar la devolución de mi hijo.

Pero si yo te contara esto, cerrarías los ojos aterrorizado porque una reina no puede ser para ti más que aquella que propaga parabienes. O tal vez me equivoque: tal vez tú y los tuyos me vierais ya entonces como contemplabais a Gelmírez y al de Traba, como dos individuos insaciables, que os convenía mantener suficientemente lejos.

—A don Pedro no sólo le odiaban en tierras gallegas —comenta el hermano Roberto, y yo intento ver al conde a través de su odio, verle como le veían aquellos siervos a los que yo misma en tantas ocasiones tuve que engañar.

Insaciable. Tan insaciable como yo misma. Pero tú no podrás entenderme; no puedes admitir que entre ese hombre comilón y rijoso, que perseguía a todas las embarazadas del reino y ésta que hoy habla contigo había y hay todavía mucho más parecido que el que tú nunca serías capaz de imaginar.

Yo también aparezco ante ti lujuriosa e insaciable, ¿ves?, tus preguntas y tus comentarios me apartaban de mi empresa. Quería haberte hablado de la toma del castillo de Castrello, de cómo yo entonces, y no por primera vez, traicioné a Pedro Froilaz, conde de Traba, seguramente, y eso lo sé ahora, porque él se demoraba tras aquellas que hallaba en el camino en estado de buena esperanza.

Mira por dónde, los vicios del viejo me favorecieron sin saberlo.

Engañé a don Pedro para quitarle a mi hijo, porque él bajó la guardia, entretenido en esos juegos que tú ahora me descubres. La encerrona de Castrello, cuando las tropas de mi esposo, a las que yo había avisado, le pillaron desprevenido, puedo verla hoy bajo una luz nueva: más y más embarazadas para el conde, todas las que hubiera en tierras gallegas, todas las que facilitaran que el castillo fuera asaltado por sorpresa, como de hecho ocurrió. Por sorpresa y traición porque, monje, yo mentí a don Pedro y le hice acudir a aquella ratonera con el único propósito de arrebatarle a mi hijo.

—Cuando tú rescataste a tu hijo de manos del...

Roberto no se atreve a adjetivar al viejo por no resultar machacón, y me concede con sus palabras esa dignidad que me atribuye en tanto que mujer y reina.

Ahora lo sé, Roberto, sé que muchos de mis súbditos interpretaron mi gesto como yo pretendía que lo hicieran: yo había liberado a mi hijo, prisionero del malvado conde. Suena bien, suena a historia para viejas que hilan al anochecer; cuento para narrar cuando los trasgos y las brujas rondan tras las ventanas. Eso es, Roberto, lo que yo quisiera transmitir a mi pueblo: una buena madre dolorida que salva a su hijo... es así como debiera escribir mi crónica. ¿Quién iba a hacer caso de cualquier otra versión, de aquella que presenta a una madre que pretende controlar al hijo, encerrarle, quitarle su posible fuerza? Si te contara esta última, empezarías a intuir que el conde malvado no se diferenciaba demasiado de tu reina, y por eso bajo los ojos con modestia y reinvento para ti aquella jornada:

—Mi hijo era prisionero del conde de Traba en el castillo de Castrello y entonces...

Entonces, gracias a las tropas de Alfonso, me apoderé del niño. Así de simple. A ti te gusta más de este modo, y esa es la historia que cuento para ti, porque tú no tienes por qué saber que antes yo había hecho promesas, que yo, para evitar el proceso de excomunión, prometí y luego quebranté mis juramentos. En realidad ese viejo comilón y lujurioso protegía los intereses de mi hijo, porque esos intereses amparaban los suyos y yo, en cambio, quería dominar al niño, quitarle de en medio, porque era un contrincante serio y peligroso, un arma que podía destruirme, bien utilizada por Gelmírez o el de Traba.

Estoy fatigada y ya no sé lo que digo. Son ya muchos meses de encierro, demasiados, y tu inocencia introduce un desorden en mi relato; y no es bueno vacilar, porque, ¿qué quedaría entonces de mi crónica? Comprendo que para ti no resulte ni divertida ni gloriosa. No quieres saber de movimientos de tropas, de idas y venidas, de contratos. No es eso lo que te enciende el rostro cuando me escuchas; sé que preferirías que me detuviera y te hablara de nuevo de Gómez González, de don Pedro de Lara, del propio Alfonso.

Te gustan las historias de cama; ésas que yo no quiero ni voy a contarte. Preferirías que te hablase, por ejemplo, del nuevo encuentro con el que era mi marido.

Ni tú ni nadie llegó a entender nunca los cambios de humor de una pareja joven y que parecía predestinada a no romperse. Cuatro separaciones y cuatro reconciliaciones. Sé lo que se ha contado; sé los rumores y sé que tú aguardas a que yo por fin satisfaga tu curiosidad.

«Un rey déspota, un rey maricón que maltrató a su mujer.» Esa sería, Roberto, la versión que me devolvería tu devoción, la que me interesa fomentar en mi pueblo. Yo, Urraca, golpeada, despreciada, insultada por ese caballero-cruzado que tenía debilidad por los jovencitos. Y quizá fuera así, tal vez Alfonso fue ese maleducado señor de los ejércitos que trató con aspereza a una joven viuda. Pero, aunque fuera verdad, todo eso no tuvo ninguna influencia en mi historia, o por lo menos no afectó directamente aquello que a mí y a Alfonso nos preocupaba: el Imperio.

Es fastidioso y no resulta estimulante, pero mis asuntos con Alfonso, como mis gestiones con don Pedro o con Gelmírez, eran sólo asuntos del reino. Separaciones y reconciliaciones no tenían que ver, como quiso y quiere mi pueblo, con románticas historias de alcoba, con desavenencias de pareja, con humillaciones de caballero acostumbrado a compartir su caballo.

Mi pueblo canta, y yo conozco sus canciones, la desdicha de su reina, a quien llama la malquerida, y ahora tú esperas que repita para ti ese drama de desamor y desencuentro, esas noches vacías; quisieras que me olvidara de castillos, de condes, de correrías, y me centrase en el tema que más te turba: tu reina abandonada.

—Una boda no querida por Dios sólo podía acarrear desgracias...

Desgracias y goces, añadiría yo, goces que provienen de ese mismo rechazo que a ti te lleva a desearme. La cueva odiada se convierte en tentadora, y lo que brota de la trasgresión es muy hermoso. Eso quizá lo adivinas; por eso cambias una vez más de tema y me hablas del conde pecador, y yo te sigo la corriente, porque tú no podrías admitir que tu reina gozara con aquel que ante ti y ante mi pueblo aparecía y aparece como despreciable.

Podría contarte los complicados juegos, los celos de Bermudo, el monje afeminado que compartía nuestras noches. Podría contarte... pero no voy a hacerlo, ya que tú sabes, como yo sé, que mi crónica debe ser contenida, respetuosa y atenerse tan sólo a sucesos y batallas.

Estábamos hablando de Castrello, ese castillo donde el conde de Traba fue burlado y vencido, ese castillo donde yo le cité para quitarle a mi hijo.

Luego, mañana, cuando vuelva a reunirme contigo, te dejaré que te pierdas en los desplantes del que fue mi marido, en sus reacciones violentas y a destiempo, en sus humillaciones a esta reina que prefieres recatada y tímida. Sé que necesitas esa visión de la doncella desvalida, que eliges ver a tu señora adornada con todas las virtudes para que tú, fraile indefenso, puedas engalanarte a tu vez con la heroicidad del caballero cristiano que habría sido capaz de sacar de las garras del tirano a la reina viuda y mancillada.

Pero un rey que hasta los treinta y seis años no conoce mujer, también puede tener su encanto; hasta sus iras y sus golpes pueden vivirse de un modo que voy a callarme. Por eso mañana, mientras tú me contemples, pensando que nada hubiera sido igual si tú y otros como tú hubierais estado a mi lado para defenderme, yo volveré a hablar de castillos y contiendas, de contratos, de victorias. Pedro Froilaz cayó en la trampa y yo conseguí a mi hijo. Por el momento todo volvía a recomponerse.

IX

Alfonso Raimúndez... Él ahora probablemente esperará mi muerte, como, tal vez, yo entonces confié en la suya.

El monje ha subido a mi celda una mata de hinojo y la ha prendido del ventano, al tiempo que me reprocha mis ojeras y mi desgana:

—Es bueno el hinojo para huyentar los males —dice, y yo vuelvo a verme en Galicia, cuando recorría los prados, recogiendo cardo y trovisco, saúco e hinojo, y sobre todo ésa que llaman la hierba de Nuestra Señora.

—Allá en mi tierra —comento— las mujeres florean puertas y ventanas para ahuyentar las meigas.

—Son mejor los ajos —afirma Roberto—; mi madre colgaba del dintel ajos y un cuerno de vaca.

Sí. Los cuernos son buenos para esas cosas, los ajos y los cuernos son buenos para que yo en este momento me olvide de mi crónica. ¿Sabes?, hoy tenía que hablar de mi hijo, de ese niño que todavía no había cumplido los cuatro años y salió a recibirme con cara de miedo cuando por fin entré en el castillo de Castrello. Yo era la reina y él prefería refugiarse bajo la toga de don Pedro.

No hay mal de ojo que justifique los malos pensamientos, monje. Yo soy, para ti y para todos, la madre desnaturalizada que combatió contra su hijo, contra ese Alfonso Raimúndez que ahora reina, cuando yo todavía estoy viva, ese para el cual esta recluida enferma sigue siendo un obstáculo.

Tráeme flores de hinojo, trae cardos y troviscos, que los ate a la pata de la cama para anular estos aires malsanos, esta angustia. Yo, Urraca, aunque no te lo creas, estoy orgullosa de mi hijo y quisiera que él, de algún modo, se sienta también orgulloso de su madre. Cuando hace un año —al cumplir los dieciocho— comenzó a reinar por sí solo, fecha que, por otro lado, marca la de mi cautiverio, sentí una profunda alegría por su triunfo, que llegó incluso a eclipsar la rabia que me producía mi derrota. Ya no era Gelmírez ni don Pedro de Traba quienes en lo sucesivo iban a tomar las decisiones; era mi hijo, convertido en hombre y dispuesto a prolongar la tarea a la que yo consagré mi vida.

Puede ser que las canciones se nieguen a llamar amor de madre a este sentimiento, pero aquí, contigo a solas, en este monasterio, cuando sé que de esta confesión no puede ya derivar recompensa alguna, ni perdón, me digo a mí misma y dejo escrito que quiero y quise a ese hijo contra el que combatí, sé que he forjado a un emperador, a un igual, a un hombre que, cuando el tiempo pase, podrá mirar hacia atrás y comprender, como ahora yo comprendo, que Urraca, reina, no podía actuar de otro modo.

No acunaron mis brazos a Alfonso Raimúndez, no fueron cuentos de hadas y dragones lo que recibió de su madre. Desde el comienzo le vi como el «otro», el que surgía no como prolongación de mi cuerpo sino frente a mí y sólo lo que está fuera puede ser amado y respetado. Yo no he dado al mundo un hijo castrado, sino un emperador y estoy satisfecha.

Monje, Constanza, mi madre, decía amarme; canturreaba canciones en su lengua y pretendía distraernos a mí y a Teresa con historias que, en realidad, estaban destinadas a llenar su tiempo vacío, sus ocios de mujer abandonada.

Constanza se aburría infinitamente y la atención que me dedicaba, las zalemas y los grititos con que me acogía y los cuentos que inventaba para divertirme no estaban dirigidos a mí. Esos caballeros que partían en busca de aventuras, ese mundo poblado de seres extraordinarios, de cálices de oro, de espuelas y lanzas prodigiosas era el marco en que ella se perdía. A veces, mientras hablaba, cerraba los ojos y sus mejillas se encendían, como si jinetes y combates calentaran su imaginación y su cuerpo, y se sintiera transportada a ese ámbito heroico de amores púdicos y doncellas arrebatadas. Los mohínes entusiastas de mi madre, sus achuchones y sus sonrisas no iban destinados a mí, sino a una presencia invisible, a un espectador inexistente, al que yo, como ella, adornaba con los atributos de la hombría y el valor, cualidades en las que ella insistía, deteniéndose en los músculos, en el porte, en el talle.

En aquellas mañanas que ahora recuerdo para ti, monje, se creaba entre nosotras una atmósfera recargada y sólida de sensualidad difusa; me apretaba contra sí y me mordisqueaba, y luego volvía a sus relatos. Los bosques borgoñones, los lagos de agua turquesa, las marismas se poblaban de animales fantásticos y, en algunas ocasiones, Constanza se ponía de pie y, con dotes de titiritera, representaba para mí:

—Érase una vez...

Yo también, como ella, cuento ahora para ti y como ella cambio las voces y me detengo en los momentos culminantes para despertar la expectativa y la tensión; yo, como ella, he encontrado en ti al receptor silencioso que me sigue en mis largos paseos por el claustro y el huerto y me acompaña en esta celda que ya apenas puedo soportar. Y, quizá por eso, porque las cosas no son tan simples como yo creía entonces, cuando apenas descendía del caballo, empiezo a comprender yo también los arrebatos maternales de Constanza.

He sido injusta, monje, también con ella. He sido injusta, aunque no era a mí a quien Constanza hablaba. Yo era una prolongación suya, una carne suave y blanda que recogía caricias y apretones, sin oponer resistencia. Todo lo que rompía mi pasividad, cualquier reacción de mi parte no prevista, cualquier demanda de cariño a destiempo o cualquier respuesta no esperada, rompía el equilibrio, y la ternura de Constanza se volvía fastidio o desatención. Yo dejé de ser niña y dejé de preocuparle a Constanza; no tardó en sustituir sus efusiones por las charlas con los monjes. La atención espiritual y sin aristas que ellos le brindaban, las delicias que le ofrecía una religión algodonosa, eran más compensadoras que las preguntas inoportunas de una niña que crecía deprisa.

Yo no sé por qué hoy me siento más cerca de ella. Yo también estoy sola. Constanza no tenía más dedicación que la rueca, el bordado, la oración y los largos paseos. Nadie en su cama, como nadie calienta la mía...

Tú, monje, eres ahora mi Urraca niña y la ternura que me producen tus largos bucles rubios se parece mucho a la que debí experimentar entonces por ese hijo al que nunca llegué a acariciar. Cuando le vi aquella mañana en el castillo de Castrello me sorprendió el parecido que tenía con su padre; era como él largirucho y colorado, y tenía una nariz afilada, una nariz de adulto en su carita de niño.

Tal vez todavía sea tiempo; todavía, monje, estoy en edad de gestar... Urraca, con un niño a quien narrar largas historias, se encontraría menos sola; un hijo regordete y rubio que trepara por mis rodillas, que me sorprendiera con sus preguntas, que me manchara las sayas.

Estoy triste, Roberto, y una reina no puede dejarse conducir por la tristeza. Trae ramas de hinojo a mi ventana; trae flores de saúco para alejar presentimientos. Yo nunca me detuve a entender a Constanza y ahora parece que ella quiere ver a través mío.

Mi padre prefería a Zaida y a todas las demás, y tus ojillos, monje, se iluminan cuando oyes su nombre. Tú también has oído comentar las delicias de las moras, tú quisieras tener ahora a tu lado a una hurí coquetona y dulce, entregada, que te contemplase con ojos lánguidos y entonase melosas canciones. Alguien que se dejara hacer, que abriera la boca de entusiasmo ante cada una de tus palabras; una muñeca dócil e imaginativa en el lecho.

No dices nada, monje, pero sé que estoy enumerando tus sueños. Cuando el guerrero regresa busca la tranquilidad, un almohadón cómodo donde reclinarse, unas ajorcas de oro en los tobillos que pidan ser desabrochadas. Zaida estaba educada para ello y sabía hacerlo, ya que ese es también un oficio, un arte que requiere muchos años de aprendizaje. Su Profeta lo dijo: «Vuestras mujeres son para vosotros un campo de cultivo; id a vuestro campo cuando queráis. Id a ella por donde Alá os ordena.»

Zaida era campo fértil y agradecido que sabía recibir la semilla, que se abría para hacerla suya, y por eso mi madre Constanza estaba sola, y no era Zaida la primera que le quitaba lo que consideraba suyo.

Constanza despreciaba a mi padre, pero creo que le habría gustado tener a alguien con quien revolcarse en esas noches en que sus dedos se dormían desgranando las cuentas de un rosario interminable. «No es bueno que el hombre esté solo», dijo ese dios al que tú rezas continuamente, monje, pero menos bueno es que la mujer quede sola, sobre todo cuando se la ha relegado para que aprenda a bordar y componga hermosas baladas.

Son muy largos los días, monje, y yo ahora empiezo a saberlo; tú tienes tus miniaturas. Yo me dedico a esta escritura para olvidar el miedo, y mi madre, Constanza, conversaba con el abad Bernardo, soñaba catedrales, imaginaba la pompa de un nuevo rito... inventaba cuentos para mí, para esa niña que nunca valoró sus lágrimas y su aburrimiento. Ahora yo también me aburro y veo bajo un ángulo distinto sus languideces y sus rabietas, su gesto agrio. Como estás a mi lado, monje, yo me guardo las plegarias, pero si dejaras de hacerme compañía en estas tardes, imitaría a Constanza e iniciaría un diálogo sin fin con ese dios posible que, aunque callado, puede ser que escuche.

Constanza mantenía una relación cotidiana con ese mismo Dios, al que pensaba complacer a base de piedra tallada. Sus labios se movían infatigables, como si hablara consigo misma y aquí, en este monasterio, presiento lo que Constanza quería rescatar mediante esos rezos, en ese murmullo que la apartaba del silencio, de los celos.

Sí; también los celos; desconfianza ante los cuerpos jóvenes y vírgenes que ofrecían a mi padre lo que ella, por sus pudores o su incompetencia, jamás supo darle; celos que la volvían insegura y la hacían mostrarse altanera y despectiva... Pero puede que de nuevo me equivoque; la descripción se independiza y me arrastra, y esa Constanza que cuento para ti, esa mujer despechada y celosa de la mora, no se parece en realidad a la que me contaba cuentos, y puede que siga siendo más verdadera la antigua imagen: una madre orgullosa que despreciaba a un rey castellano, desprovisto de modales. Hubo probablemente muchas Constanzas, como hay también mu-

chas Urracas y todas son verdad; para mi hijo, Alfonso
Raimúndez, probablemente sea yo la loca que pretendió
Gelmírez cuando comencé a serle inoportuna, la devora-
dora rapaz. Su verdugo.

No tiembles, monje, porque hay cosas que no pueden
ser dichas y yo no voy a permitir que maduren en ti esas
sospechas que te llevan a mover la cabeza para fijar los
ojos en ese capitel donde el tallo del cardo se entrelaza
con el espino.

Carlos y flores de saúco para ahuyentar los males. Y
mucho hinojo en las ventanas.

Mi hijo comenzó a estar frente a mí desde aquella
mañana en que intenté alejarle de Pedro Froilaz en el
castillo de Castrello. Pero yo entonces apenas tenía
tiempo para fijarme en los rumores. Di un beso a mi
hijo y regresé a la corte.

—Dejé al niño al cuidado de los hermandinos —le
cuento a Roberto, y él pone cara de que me entiende, sin
preguntar nada más, guardando respeto para ese que ya
es su señor, ese que hoy está ya por encima de la que fue
su reina. Mira el monje la flor de cardo cincelada en la
roca y se pierde en meigas y encantamientos. Al de Traba no le gustó en absoluto que yo le quitara a mi hijo,
pero él no tenía entonces fuerzas para enfrentarse con
los burgueses hermanados, que se le oponían de antiguo
y a los cuales yo había conferido la custodia de mi hijo.

Femina mente dira yo también, como mi tía, monje,
también yo como ella soberbia y ambiciosa.

Pero el cuerpo de mi hijo no reposa prematuramen-
te, como el de mi tío Sancho, en el atrio del monasterio
de Oña. Soy yo la que permanezco aquí, sepultada en
vida. *Femina mente dira,* y es que el nombre me arrastra, como pensaba mi madre. «Su nombre», decía, y eran
también los celos los que la hacían torcer la boca en un

rechazo en el que me incluía. Celos por Urraca, celos por esa Inés de Aquitania, la primera mujer de mi padre y a la que por tanto ella nunca llegó a conocer.

—Un pariente lejano de mi padre tuvo ocasión de verla cuando se trasladó a Oviedo con el rey para depositar las reliquias. Iba vestida de verde y llevaba el pelo trenzado y las coletas le llegaban hasta la cintura.

Extraño viaje aquel, Roberto. Un monarca, acompañado por sus hermanas y por la reciente esposa, marcha a la antigua capital para hacer entrega de ese arca que, desde entonces, guarda las que para ti son santísimas reliquias. Mi padre, parece ser, adoraba a Inés, ese regalo llegado de la Aquitania, y a mi tía no debió caerle del todo bien aquella advenediza que la desplazaba en los afectos de mi padre. Mi madre lo decía: «Tu tía tampoco podía tolerar a la aquitana. Ella fue...»

Y mi madre dejaba intuir malas acciones tras sus silencios, esos silencios que en mi escritura pasan a ser puntos suspensivos, que dejan eco para que enraíce la duda. Y aquella niña de largas coletas rubias, como de hilos de oro, tuvo que morir pronto y mi madre pasó a ocupar aquel lugar vacío.

—Mi padre, Roberto, se lió con una dama de mi madre, una que llegó con ella en su séquito. Dicen que se parecía a Inés.

Podría ahora referirte los demás rumores, no los que dejaba sugerir mi madre, no los que implicaban a mi tía, sino otros que marcan con negro mi origen y que tienen de nuevo como base la razón de estado. Pero tú debes conocerlos mejor que yo misma; tú que tanto habías oído hablar de la princesa aquitana que murió a los cuatro años de su llegada a nuestras tierras.

Parece que Inés resultó demasiado respetuosa con las viejas costumbres, con los antiguos ritos, y eso se interfería en los pactos que mi padre había realizado con el Papa Gregorio; por eso aquella princesa de cuento no podía vivir, porque ella no favorecía demasiado a la Orden e incluso dificultaba su tarea.

¿Te das cuenta? La casa de Aquitania, la casa de Borgoña, y, en medio, Cluny. La casa necesitaba una esposa más dócil, alguien de su propia tierra, y mi madre resultó ser esa oportuna princesa que, ocupando el lecho de Inés, facilitaba la tarea de la Orden y del Papa Gregorio.

Voy a contarte otro cuento de miedo. Yo, Urraca, vine al mundo porque una joven princesa rubia murió de repente, y era necesaria su muerte para que mi madre pudiera ejercitarse en sus rezos y en sus manías constructoras.

Tú, monje, entiendes poco de conspiraciones, y clavas la mirada en el suelo porque no te atreves a seguirme en el curso de mis pensamientos. Pero el legado, Ricardo, mandado por el Papa, sí debía ser experto en esa clase de asuntos un poco turbios, e Inés de Aquitania murió inesperadamente, dejando el camino libre a una princesa borgoñona que iba a ser mi madre.

Constanza y mi padre casaron un año después, y con ella llegaron multitud de esos monjes a los que yo tantas veces he tenido que plegarme: los Bernardo, los Robertos, como tú mismo, los Ricardos...

—Cuando llegó al abad Bernardo —empiezas, pero yo ahora no quiero escucharte, porque tú apenas puedes saber nada de ese Bernardo de Salvatat que tan hostil ha sido a mis intereses, ese que vino al poco tiempo de llegar mi madre y que junto a ella hizo y deshizo en la corte, hasta que consiguió transformar la Mezquita mayor de Toledo en catedral y logró para sí un arzobispado provechoso; un Gelmírez francés, que fue desde el principio ojos y oídos de Constanza. Él fue quien le prestó el mejor servicio: impedir que mi padre la repudiara.

¿Ves?, son sucias y tristes historias de familia y no conviene removerlas. Urraca, envidiosa de Inés; mi madre, celosa de Urraca; mi madre aborreciendo aquella que, cual Jonás en la ballena, vino en su propio séquito para robarle a mi padre, desde la primera noche.

—Mi padre contaba con Roberto, el entonces abad de Sahagún, para anular su matrimonio. Pero Roberto tenía las mismas debilidades que Inés y amaba las tradiciones. Volvió el cardenal Ricardo, mandado por el Papa Gregorio, y en un solemne Concilio se implantó el nuevo rito. Roberto fue destituido de la abadía de Sahagún, y fue Bernardo, el gran aliado de mi madre, quien ocupó el monasterio. Así de sencillo: tres pájaros de un solo tiro; un nuevo rito, un nuevo abad y una reina consolidada, aunque su marido se negara a tenerla en su cama. Esa reina que sería mi madre.

Anochece y debo retirarme. Es la hora de los rezos, la hora de las campanas; iba a hablarte de mi hijo y, sobre todo, te he hablado de mi madre, de mi madre Constanza, quien, como en los versos que ella misma me enseñara:

Tendrement pleure dessous les peaux de martre.

Yo podría también empapar pieles de marta con mis lágrimas, si tú no estuvieras a mi lado y si no estuviese ese hijo mío, ya crecido, dispuesto a continuar mi tarea. Yo le tengo a él y, en cambio, Constanza nunca me tuvo a mí. Yo fui una extraña y ella echaba de menos sus tierras verdes, donde se agolpan los viñedos.

Poco antes de mi encierro, Roberto, llegó a la corte un trovador que provenía de la corte de Navarra y se llamaba Turoldus. Cantó para mí y yo lloré *tendrement* sobre mi toca al escuchar la lengua de Constanza y tal vez por eso le hice repetir una y otra vez, hasta que logré aprenderlo, un verso que decía algo así:

Terre de France moult estes douz pays.

Dulce país de campiñas floridas, tan verdes como los montes de Lugo que recorrí una y otra vez para defender lo que era mío. Constanza, en cambio, odiaba las tierras de Toledo, y el Tajo era para ella un río peligroso y turbio en el que no quería bañarse, mientras que inundaba su boca con los nombres de esos tres grandes ríos que riegan su ducado, ese ducado al que jamás pudo volver: luar, sein, rodan... *Moult estes douz pays.*

Apaga la candela, monje, y yo dejaré que las flores de hinojo, que has colgado en mi ventana, se lleven la tristeza y los malos espíritus, este mal *yin* que apenas me permite respirar.

X

Como Judas, el Traidor, y Datán y Abirón. Yo, igual que ellos, tendré mi parte en mi infierno, y esa exclamación sólo sirve como entonces para volverme propicia y dócil. Pero no hay nadie decidido a castigarme.

Roberto, ése al que tú llamas Batallador, ése que fue mi marido venía hacía mí y renegaba en cada encuentro.

—Que me condene yo como ellos —repite el hermano Roberto—, si eso que te he contado no es verdad.

Pero me da lo mismo ahora lo que has relatado y sólo retengo los nombres y el juramento: Judas, Datán y Abirón.

—Tan malo como todos ellos juntos; soy peor, el peor de los hombres —gritaba Alfonso, cuando se acercaba a mí.

Tú no puedes imaginar lo que piensa tu reina mientras sigues empeñado en contarme esa confusa historia de sueldos pagados al monasterio, de hornos, de molinos. Me hablas de obligaciones, de tremendas injusticias cometidas con los tuyos y yo creo escuchar el jadeo de Alfonso, mientras juraba y renegaba.

—Le agarraron, cuando cortaba leña en el bosque cerca del monasterio. Le arrancaron los ojos y, como compensación, ya que no podía trabajar en el campo, le permitieron instalarse en el monasterio como portero y que me trajera a mí con él.

«¡Por Judas el Traidor y Datán y Abirón!; y por todos los diablos; que recaiga sobre mí la maldición de David, cuando fue maldecido por Doec el idumeo, que sea yo mismo destrozado como la arena de la playa, herido por las olas, que caiga sobre mí lluvia de fuego y rayos espantosos, igual que ardieron por sus pecados las antiguas ciudades de Sodoma y Gomorra.»

No puedo atenderte, monje, porque estoy escuchando las maldiciones gozosas de Alfonso, que eran siempre preámbulo y juego para lo que había de venir.

No fueron demasiados los encuentros, pero siempre venían precedidos de un ritual que servía para calentarle y calentarme. «Esta vez no, no vas a hacer que cometa falta, cerda, maldita marrana, puerca, esta vez no, mientras yo abría las piernas y me reía y él rezaba en voz alta. Apártate de mí, Satanás.» Yo Satanás, Roberto, Luzbel que se quitaba las enaguas ante el fingido o real espanto de Alfonso, que convocaba a todas las jerarquías celestiales para que fueran testigos de su transgresión y su caída. Sólo eso servía para excitarle.

—Le quitaron la luz de los ojos —comenta el hermano Roberto—. Era mi padre y lo dejaron ciego.

Y por eso tú, monje, das esos ojos grandes y abiertos a tus figuras; tú también te vengas a tu modo, como si toda la luz que a él le robaran la devolvieras a través de los colores.

—Dos sueldos al año —repite el monje.

Dos sueldos que también llenaban mis arcas, no lo olvides, y por eso yo no te oigo o no puedo oírte, cuando describes ese odio que quieres revestir de sorpresa, porque no vas a atreverte a juzgar a ese abad a cuya sombra vives, ni a ningún otro abad de mi reino. «Que se destrocen mis entrañas, como se quiebran los cántaros en la fuente, si cometo pecado», exclamaba Alfonso y se aproximaba hacia mí para insultarme.

Son extraños los modos del amor, monje. A tu Batallador le volvían loco los olores.

—Un sueldo por usar el molino y otro por el censo. Pozo de inmundicias. Mis arcas y las del abad se han llenado siempre del mismo modo; por eso no puedo ni quiero entenderte.

—Mi padre murió en seguida —cuenta el monje—; tropezaba en las acequias y maldecía. Me agarraba fuerte de la mano y me hacía acompañarle; luego escupía. Miraba hacia arriba, como si todavía pudiera ver, y hacía cábalas: ya estará crecida la espiga; este año habrá buena cosecha de cebada; será el momento de recoger las cebollas, y se sentaba en el poyo que está a la entrada de la huerta y permanecía allí callado, horas y horas, como si yo no estuviera. ¡Que me queme en lo más profundo del infierno, decía, si no tuve razón al coger la leña!

Yo también juro ahora como tú, y como tu padre, que toda mi fuerza y toda la rabia contra Alfonso quedaban en nada en cuanto volvía a tocarme.

—Sucia. Eres sucia como todas las hembras; más sucia que ninguna, y yo, por acercarme a ti, el más repulsivo de los hombres.

El más repulsivo de los hombres, pero no cuando tú creías; no cuando tu lengua me buscaba para beber en la caja de todos los horrores, como tú la llamabas; no cuando, para castigarme y castigarte al tiempo, vertías sobre mí esa semilla que no iba a dar fruto. Pero sí después, cuando todo concluía y eras de nuevo el rey y yo la reina. El más cruel de los hombres, el más injusto.

—Por entonces —le cuento al hermano Roberto—, Alfonso destruyó el castillo de Monterroso y asesinó a Prado.

Si alguien mata a aquel en cuya casa ha comido, dicen en tierras del que fue mi esposo, que sea enterrado vivo debajo del muerto. Y, sin embargo, nadie vengó a Prado, nadie tomó justicia de aquel cuerpo mutilado en el patio de su propia casa. Alfonso, el sanguinario, que no Batallador, debieron llamarle a partir de aquel día. Y Alfonso se ensañó con el noble porque también él había gozado con tu reina, porque era generoso y se mostró solícito, porque no se dejó impresionar por los modales de aquel que se hacía llamar rey y se portaba como villano.

Los métodos de mi esposo en la lucha, monje, no eran los de la caballería. Trató a mis tierras gallegas como si de frontera se tratase y asoló los campos, dio muerte a campesinos y señores, para crear una Tierra de nadie, una zona donde ya nada pudiera crecer. Trató a mis nobles y a mis gentes con la misma rudeza con que actuaban esos caballeros pardos que tanto ayudaron a mi padre en su lucha contra el moro...

Porque yo no pude defenderle, porque no ofrecí mi cuerpo a cambio del suyo, ni mi manto bastó para cubrirle, murió Prado en el patio del castillo de Monterroso y todos los cuervos de mi reino se congregaron en las almenas para velar el crimen.

—Yo quise protegerle —digo, pero Roberto tampoco me escucha ahora. Recuerda los ojos arrancados, esa estatua de sal que miraba a los cielos sin ver.

Pero yo sí oigo, aunque ya no me digas nada, Roberto. A Prado le cortaron las manos para escarmiento, dijo Alfonso, de todo noble díscolo o rebelde, y mi manto no fue suficientemente duro para evitar el dardo. Te oigo, mientras me vuelven los olores, el sudor del cuerpo de Alfonso sobre mi cuerpo.

No me importan nada las conspiraciones que entre tanto levantara el de Traba, sus compromisos con mi hermana a mis espaldas; sólo ese olor penetrante y agrio del amor, las palabras que como dardos me lanzaba Alfonso:

—Puerca, vieja y sucia puerca.

Y aquel gemido final y la bondad del sueño.

—¡Por un puñado de leña...!

Por un puñado de leña, monje, puede el hombre perder sus ojos, y ahora, cuando miro los tuyos, veo el vacío y el asco que yo también debiera provocarte, igual que yo lo sentí aquel día en Monterroso hacia el que todavía podía llamar mi marido.

Puerca y sucia, marrana fue la muerte de Prado. Tu familia, Roberto, paga sus sueldos al abad para tener derecho a moler su harina todos los martes del año; esos sueldos que engrosan sus arcas son también mi ganancia, son también presa mía. Tu reina sucia y puerca, como pretendía Alfonso, cuando subido a mis espaldas me escupía; sucia y puerca, y esos ojos de los que me hablas se unen ahora a las manos cortadas de Prado y se me llena la boca con todas las maldiciones, esas que quieren salir de la tuya: ¡Por Judas el traidor, y Datán y Abirón y por todos los diablos, monje!...

Yo, la reina... y sé que necesito recuperar la gallardía, el orgullo, para que mi crónica sea tal y no lagrimeo de mujercita angustiada. No deben preocuparme las manos, monje, ni tus sueldos de miseria, ni los ojos arrancados, ni aquel cuerpo de Prado, desangrándose en el patio del castillo. Una crónica debe ser elegía, canto, glosa triunfal.

—El conde de Traba —le cuento al monje— se entrevistó entonces con mi hermana Teresa; el viejo estaba irritado y dispuesto a luchar. Teresa y mi cuñado eran sus posibles aliados, porque su pequeña tenencia portuguesa podía ampliarse mucho a costa de mis tierras.

Pero el hermano Roberto no me presta atención. Teresa, yo y el de Traba somos tan sólo para él los que están y estarán siempre del otro lado, aquellos ante los que, una y otra vez, los suyos han tenido que doblar la cabeza, y me parece que su mirada, siempre cariñosa, deja de serlo por un momento y sé que no es a Urraca, la compañera de sus tardes, a la que contempla, sino a esa reina, aliada del abad, que habla siempre un lenguaje que él no entiende; lenguaje de alianzas, de guerras perdidas, de tratados y de traiciones. Porque él, Roberto, sólo sabe de malos usos y se refugia en sus pinceles para rescatar el color y la luz que aquella mañana perdiera su padre para siempre.

—Se sentaba en un poyo, a la entrada del monasterio —repite—, y miraba hacia arriba como si aún pudiera ver.

Y yo me refugio en mi crónica y continúo:

—A Teresa y a mi cuñado les venía bien meter su zarpa en mis tierras. Pero, por el momento, hasta ver qué pasaba entre Alfonso y yo, prefirieron mantenerse al margen y esperar.

XI

—Si supieras jugar al ajedrez...

Lo sugerí hace una semana y desde entonces el hermano Roberto talla las piezas en delgadas ramas de álamo. Prometí enseñarle y él concluye un caballo al que ha puesto nombre, Lucero, y me describe cómo será la reina, imagen en madera de esa que a su lado se adormece y se deja llevar por la melancolía. Hablamos del reino, y yo, como mi padre, intento compararlo con un tablero, donde el monarca hábil debe mover las piezas. Roberto me habla entonces del ángel de la muerte.

—A esa pieza no hay rey alguno que pueda controlarla. Aunque cubrieras el tablero con campana de cristal y quisieras aislarlo, siempre termina él por intervenir, y en ese punto todas las jugadas, las de antes y las de después, carecen de sentido.

También el rey, le digo, encarna al ángel. Yo, tu reina, dispuse de la vida de mis súbditos, y ellos, peones sin nombre de mi tablero, cayeron en batallas que yo decidía. Yo fui señora de la muerte, porque puedo moverme de un lado para otro y puedo en un momento determinado dar jaque al rey.

Aquel invierno de 1110 tanto Alfonso como yo comprendimos que el reino era demasiado angosto para acogernos a ambos, y nuestros movimientos a partir de aquel instante desembocaban inexorablemente en un final de partida que exigía comerse la pieza contraria.

Poncia me leyó el destino:

«Las diez espadas acompañan a Judas Iscariote. Y ahora de nuevo el rey y esta vez son las copas. Boca abajo. La cólera impulsa a la imprudencia y ésta provoca la ruina y aparece Nabucodonosor.»

Muerte violenta de un soberano.

—Pero no está la Muerte —precisó Poncia.

Pero yo tenía pesadillas y en mi sueño vi la gran copa de cristal azul, de la que rebosaba un líquido dorado y espeso y el rey bebía y bebía. Unas manos huesudas elevaban la copa; eran las manos del ángel de la muerte.

—Dicen que, cuando el ángel de la muerte se aproxima, aúllan los lobos en el monte y a los perros se les eriza el rabo —comenta el hermano Roberto, y su cuchillo rebaña la madera, como si quisiera segarla. Un caballo y un reino.

—¿Sabes? —le digo— mi padre se prendó cierto día de un ajedrez extraordinario, cuyas piezas estaban talladas en sándalo, áloe y ébano. Hubiera dado su reino porque aquel ajedrez fuera suyo. No dio el reino, pero perdió una batalla, sin plantear combate.

El monje se entristece y mira sus toscas piezas, pidiéndome disculpas.

—Cuando las dé color... —dice, y sonríe al pensar en el dorado y en el azul, en el manto rojo que cubrirá a la reina.

La rama de álamo es flexible aunque no desprende aromas como el sándalo, ni tiene la dureza del ébano. Yo, Roberto, quizá también ahora vendería mi derecho al trono por no quedarme sin esta compañía que me brindas. Algún mal bebedizo me roe las entrañas y me provoca imágenes que nunca antes había soportado; el ángel de la muerte, ¿cómo es posible que una reina se confunda en ensoñaciones y en remordimientos? Aquel

año comprendí que mi marido tenía que morir para que
yo y después mi hijo conserváramos todas nuestras tierras, sumando además las que aportaría el fallecimiento
de mi marido. Y si alguien ha de morir, otro puede faci-
litarle el tránsito...

«El reino es como un tablero», repetía mi padre y
pasaba tardes enteras desplazando las piezas, avanzando,
acorralando el enemigo.

—Un ajedrez de áloe, sándalo y ébano —y el monje
se cuelga del sonido de las palabras y yo presiento la
codicia y la decepción de mi padre. Él, que no se resigna-
ba a perder, que no admitía un solo fracaso, tuvo que
retirar sus tropas; no consiguió el ajedrez y tuvo que
aceptar que Aben Ammar saboreara el doble triunfo.

Yo, tal vez por aquella derrota de mi padre, admiré
al moro, sin conocerle. Le atribuía astucia y pasión; era
como un vendaval, la encarnación de todos los posibles:
un juglar, un advenedizo que había hecho carrera gracias
a la belleza de su talle y a su saber hacer.

—Uno a veces —digo— da muerte a lo que ama.

Y siento frío, como deben sentirlo los perros al oler
la presencia del que lleva la guadaña.

—¿Sabes? —le cuento al monje— al-Mutamid cortó
la cabeza de Aben Ammar con un hacha de doble filo y
dicen que le había amado mucho.

Y yo, tu reina, la que compartía los arranques aver-
gonzados de Alfonso, la que se retorcía bajo su apresura-
do y convincente galope de guerrero, pensé que nada me
sería más grato que su muerte.

Pero a Roberto le escandaliza la perspectiva de un
moro amante y se santigua.

—Infieles —dice.

Un fiel de talle de palmera, dotado de ingenio y gracia, capaz de fascinar a un rey hasta casi volverle loco.

—Era ambicioso y listo —comento— pero calculó mal.

Roberto deja en la mesa el cuchillo y la madera y me pide que hable, que le traslade a los palacios que, por otro lado, yo nunca visité, que rememore los jardines y las fuentes, los surtidores, que me detenga en ella.

—Cuidaba mulas, le digo, pero como Zaida o incluso mejor que ella, componía versos y sabía mover las caderas. Se llamaba Ifriquiya y al-Mutamid la convirtió en su favorita y la introdujo en palacio.

Demasiados líos para ti. Son costumbres de más allá de la frontera. Esas cosas, supones, no se dan entre cristianos: un rey seducido por una cuidadora de mulas y trastocado por un juglar de talle esbelto; un monarca crecido en la música y el amor y capaz de cortar la cabeza al que le había traicionado.

—Dicen que descendió a la mazmorra, donde tenía a Aben Ammar prisionero y con sus propias manos levantó el hacha.

Yo también, Roberto, me sentí traicionada, yo también había querido a mi manera a ese cuya muerte deseé a partir de aquel invierno, ese que profanaba mis tierras, ajusticiaba a mis nobles, se comportaba como un villano y con el cual viví aquellas noches que ahora no quiero describirte. Yo no sostuve el hacha en mis manos pero...

No. Dejemos eso ahora; no tienen importancia las copas de cristal que contienen líquidos amarillos, muy espesos; a ti te gustan sólo las historias románticas de caballeros y de poetas; esas que dices condenar y sin embargo añoras: un doncel apasionado, un don nadie que hace carrera, ganándose la confianza y el lecho de su dueño; un joven aventajado en la poesía, amado por un príncipe sensible que también fue poeta.

—Cuentan que el propio Aben Ammar tuvo un sue-

ño premonitorio de su muerte. Dormía con su príncipe y
se le apareció ese al que llamas el ángel de la muerte y le
dijo: «Cuídate, Aben Ammar. El que yace contigo habrá
de matarte», y el muchacho se despertó temblando. Cogió la estera sobre la que yacía y corrió a esconderse en
el más apartado lugar del palacio. Cuando su príncipe se
despertó, se entristeció al no encontrarle a su lado y
mandó buscarle por todos los rincones, hasta dar con él.
Cuando le halló, le cubrió de besos y le recriminó por su
huida y le dijo: ¿cómo iba yo a matar a aquel que me da
la vida?

Las pesadillas y los malos sueños ahora como entonces tampoco permiten que tu reina descanse. Ahora es el
momento en que tendría que intentar explicarte muchas
cosas que servirían para que entendieras mi mudanza y
lo que ellos llamaron mi locura.

Al-Mutamid lloró sobre el cuello cortado, pero yo no
derramé ni una sola lágrima, como tampoco lloro al re-
cordarlo. Hay cosas difíciles de explicar: desde la muerte
de Prado aborrecía a Alfonso, pero en cuanto venía hacia
mí, mi odio se desmoronaba y brotaba el deseo. Y lo
mismo le sucedía a él y por eso los dos pensamos que
sólo la muerte del otro nos permitiría recuperar la libertad y la capacidad de movimiento.

—¿Y aquella partida?

Claro. Es mejor que vuelva a las jugadas de mi padre,
a sus cabezonadas de niño; el juego del ajedrez no hace
ningún daño, y un rey debe saber perder, aunque se vea
obligado a retirar sus ejércitos.

—Mi padre presionaba en las tierras de al-Mutamid
y del rey de Sevilla. Aben Ammar dirigía entonces las
huestes de su señor; sabía que mi padre amaba el juego y
conocía sus debilidades de coleccionista e hizo llegar hasta sus oídos el rumor de que poseía el más hermoso aje-

drez que jamás fuera tallado y que estaba dispuesto a jugárselo. Mi padre aceptó el desafío.

Mi padre se dejó tentar; era el ajedrez a cambio de un deseo que Aben Ammar no formularía hasta el final de la partida. Cuando ganó, el moro puso condiciones: las tropas cristianas tendrían que alejarse de la frontera.

Guerra de caballeros, aunque mi padre no era un caballero. Pero un rey debe guardar determinadas formas y eso lo sabían y lo practicaban tanto el moro, regalado por la fortuna, como él mismo. Por eso mi padre le respetaba y tal vez de ahí procede mi admiración hacia aquel que representaba para mí la aventura y el capricho.

—Uno a veces mata a lo que ama —repito, porque sé que el monje ha dejado ya de oírme, ensimismado de nuevo en su tarea, cautivado por paisajes que nunca podrá ver: tiendas de seda, adornadas con alfombras y tapices donde un rey y un guerrero, sentados frente a frente, mueven las piezas de un ajedrez inimitable.

—Pondré a las piezas negras un turbante —me cuenta.

Ponles turbante, como aquel de gasa que lucía Aben Ammar. El turbante, como la corona, es signo de una dignidad que, aunque no se lleve en el corazón, debe mostrarse en público, y Aben Ammar arrancó su propio turbante de su cabeza, para evitar que un enviado del rey se lo quitara delante de la muchedumbre.

—Pero un traidor no merece ningún respeto.

Tal vez tengas razón, Roberto. Pero eso no puedes decírmelo a mí, experta en traiciones y marrullerías. Yo, que ni siquiera tuve la grandeza de Aben Ammar, yo, que sucesivamente traicioné a mi hijo, a don Pedro Froilaz, a Gelmírez y a mi marido. Puede que tengas razón: a lo mejor los asuntos de estado lavan las traiciones, sobre todo las traiciones a lo que uno ama. Yo no podía actuar de otro modo: era el reino lo que estaba en juego y era mi esposo el que quería arrebatármelo.

—Por entonces murió el rey de Zaragoza, al-Mustaín y Alfonso vio la oportunidad de tomar la ciudad. Tenía que expulsar de ella a Ibn al-Havy, el emir de Valencia, con el pretexto de devolvérsela a Abd-al-Malik, el hijo de al-Mustaín, y por tanto heredero de la plaza.

Pero de nuevo te adormeces. Te dan lo mismo los manejos de Alfonso y mis traiciones, que no tienen el colorido de las que realizara el doncel de talle de palmera. Porque yo entonces iba a pactar con los enemigos de Alfonso, porque me di cuenta de que así tenía la posibilidad de intervenir yo también en Aragón, porque, de aquel río revuelto, tu reina podría sacar provecho. Pero tú sigues pensando en mazmorras y en jinetes que se arrancan su turbante de muselina para no ser humillados. Mi crónica es más sórdida; no te puede interesar conocer cómo, con dinero y astucia, gané la confianza de Abd-al-Malik, un moro que nada tenía que ver con ese apuesto Aben Ammar que acabo de describirte. También era ambicioso, pero carecía de orgullo. Era un pobre hombre asustado y decidido a soportar cualquier humillación con tal de conservar la plaza.

De nuevo asuntos sucios y poco respetables, una vez más tu reina chapucera. Yo necesitaba comprar a Abd-al-Malik, porque mis arcas estaban vacías y tenía que volver a llenarlas y, ante todo, porque era un modo de introducir una cuña en los dominios de Alfonso, un traidor en su propia casa.

En aquel viaje llevé conmigo a Gómez González porque él podía ser el hacha que yo precisaba. No le expliqué lo que pretendía de él, pero él conocía mis deseos y era lo suficientemente amable como para darse por enterado sin necesiad de hacerlos explícitos. Ni yo era poeta, ni Alfonso era Aben Ammar, ni mis manos tan fuertes como las de al-Mutamid.

Es menos heroico y queda peor para una crónica, pero uno mata a lo que ama de maneras diversas, y esa reina a la que representarás en tu ajedrez toda cubierta de rojo nunca habría perdido las formas, descendiendo por su propio paso a la mazmorra, como hizo al-Mutamid. Hay modos más cobardes o más tristes para resolver asuntos enojosos, y hoy siento miedo porque tal vez hice mal al permitir que Gómez González leyera en mi pensamiento, como no dejaré que tú ahora, monje, deduzcas los míos.

—Un rey es generoso —le cuento—, cuando si regala una esclava a un súbdito, la elige de abultados pechos; si regala un caballo, le selecciona de noble raza, y si una espada, dará aquella cuyo pomo esté adornado con piedras finas.

Pero él no me hace caso. Baraja nombres para llamar a su caballo negro. Huracán, le digo, recordando al moro, pero él niega con la cabeza.

—Lucero, el blanco, y Céfiro el negro. Céfiro es un buen nombre para un caballo.

XII

¡Merced, amigo, no me dejes sola!

Si tuviera rabel, como el que tañía Poncio, el juglar de Alfonso, cantaría para ti, para que no te fueras, al anochecer, cuando la comunidad se recoge y tú te retiras a tus oraciones. No me dejes sola, porque distingo el maullido del gato, parecido al lamento de un niño, porque me martillea el canto persistente y machacón del grillo, porque hay demasiadas sombras y el moho dibuja caras, y cuando cierro los párpados vuelve la mueca que se va modificando, la sonrisa, primero plácida y luego agresiva, la cara de la muerte.

Allá en la fortaleza del Castellar, donde mi esposo me mantuvo prisionera en el año 1110, al amanecer me despertaban las voces del pregonero que cantaba su carga de leña.

Merced, amigo, no me dejes sola.

No es de prisiones de lo que voy a hablarte; no te contaré cuánto se enfadó Alfonso, ni de qué modo me rescataron mis leales. Sólo voy a hablarte del miedo, del que me asalta cada vez que tú desapareces, del que quizá experimenté por primera vez en aquella fortaleza cuando el guardián cerraba la cancela y apagaba el candil y yo quedaba sola.

Hasta aquel momento la muerte era tan sólo el posible veneno, el tropezón del caballo, la espada, la consecuencia del terremoto, la peste. Y el veneno podía eludirse, el caballo enderezarse y la espada esquivarse, y todas las demás muertes eran producto de fuerzas que también con tenacidad y paciencia podían llegar a controlarse y por tanto a serme propicias. Para eso estaba Poncia y yo había dedicado horas y horas a aprender lo que tenía que enseñarme.

Pero allá en el Castellar la muerte era el «ya no más», el «otros recorrerán estos prados, pisarán estas veredas, montarán mis caballos, sentirán la dulzura de la impaciencia amorosa subiendo por las ingles. Otros, que ya no yo».

Y ahora, cuando tú te vas, cuando no llegas a saludarme hasta mi celda, experimento la misma angustia que viví entonces en la torre-tumba del Castellar, el mismo frío.

Te necesito a ti para que me escuches; no puedo pasarme ya sin tu sorpresa y tu ignorancia, y sin tu habilidad para tallar la flexible rama del álamo. Merced, amigo, no me dejes sola.

La crónica, la que escriban los demás, dirá que Alfonso me mantuvo encerrada porque no le gustó que libertara a sus rehenes. Y realmente fue así; pero antes o después, con rehenes liberados o sin ellos, me habría apresado, porque sólo mi cárcel le daba a él la libertad, y además estaba Castán a su lado, para incitarle a hacerlo.

Ay, monje... imagino tus ojos atentos por el nuevo nombre... Castán de Biel.

Tenías que haberle visto: una carita menuda y fina de señorita en un cuerpo desproporcionado y pequeño, un enano con ademanes de mujer, que alentaba la vanidad de Alfonso, le perseguía, le daba siempre la razón, fijaba atentamente los ojos, cuando parecía oírle, y le llevaba al terreno donde Alfonso se sentía cómodo y seguro: la guerra y la estrategia.

Castán de Biel fue hábil y en muy poco tiempo consiguió desplazar a Bermudo y neutralizar al abad Esteban, sugiriendo a Alfonso que nombrara al viejo obispo de Huesca; y él, a partir de aquel momento, se situó como un vigía junto a mi marido, celoso de todo aquel que se le aproximaba, sumiso y adulador.

Pero Castán era impotente o desganado y no era eso lo que le ofrecía a Alfonso; se conformaba con acapararle, con monopolizar su atención, con sentir que atendía y se interesaba por sus propuestas y, tal vez por ese papel tan relegado, detestaba a cualquiera que pudiera darle a Alfonso algo más de lo que él le daba... sobre todo si el posible competidor era mujer. Creo que Castán hubiera tolerado a otro Bermudo, pero odiaba a las mujeres, y mi presencia, como la de cualquier otra, le alteraba; era de los que no te miran, de los que te hacen creer que careces de cuerpo. Cuando estábamos reunidos nunca se dirigía a mí cuando hablaba y, si lo hacía, era con la reina, nunca con Urraca. Por eso, cuando llegó a Aragón y pudo comprobar lo que resultaba evidente, es decir, que Alfonso no se limitaba a cumplir el contrato, le habló de castigos infernales. Él fue quien relacionó nuestros juegos amorosos con brujerías, misas negras y festines satánicos y Alfonso, propenso ya a admitir lo que él mismo creía, le hizo caso.

...Siempre la luna por medio, la luna y la fascinación por la sangre.

Monje, un rey sensual y gozador puede perder la cabeza por ese líquido cálido que es fuente de vida. El yin, el espíritu malo, se aleja con un hueso de liebre, porque la liebre, como la mujer, deja correr su sangre. Y Alfonso acudía especialmente a mí en esos días para bañarse en la impureza, para extraer vigor de lo que más le repelía: la mancha. Bebía en mí con ansias profanadoras y casi con el mismo entusiasmo con que tú bebes todos los días la sangre de tu dios. Misa negra lo llamó Castán, cuando supo los gustos de mi esposo y a mí, sacerdotisa de Satanás, que prodigaba mi sangre en boca de aquel que había nacido para servir a Dios a lomos del caballo.

Por eso la verdadera causa de mi encierro no fue la liberación de aquellos rehenes, sino aquella noche de luna llena en que la lengua de mi esposo se inundó una vez más del flujo de la vida. Alfonso se dejó convencer por Castán de que no existirían conjuros suficientes, ni rezos, ni inciensos para deshacer el maleficio blasfemo que yo trazaba con mi sangre; sangre menstrual que provocaba la virilidad de un rey.

De ahí mi cárcel, de ahí mi angustia. Pero, mientras yo permanecía en la fortaleza de Castellar, mis leales, afuera, trabajaban para mí. Gómez González preparó mi fuga y, al mismo tiempo, interpretando desde lejos mis deseos, fue causa de aquel extraño mal que de pronto enfermó a mi esposo.

Nadie podría echarme a mí la culpa; nadie podría sospechar de Urraca, que permanecía encerrada en la fortaleza, completamente incomunicada y sin medio para conectar con el exterior. Gómez González pensaba en todo y sabía que de aquello yo, la reina, debía mantenerme al margen. Alfonso tuvo fiebre y grandes vómitos y, mientras sus médicos aplicaban antídotos y remedios para atajar el envenenamiento, yo, acompañada por Gómez González, me fugué de la fortaleza y en dos jornadas regresé a Castilla.

Pero tú hoy no vas a acudir. Hoy Urraca está sola, y no hay conde que venga a rescatarme, y a nadie puedo describirle la desesperación de aquellos días, la impotencia que me producía la aparición de aquel jorobado sordomudo y lelo que todas las noches subía para llevarme la comida.

Tal vez si el tiempo hubiera pasado, como pasa aquí, en este monasterio, aquel lerdo tambaleante habría terminado por ser mi hermano Roberto, el compañero, cuya presencia anhelaba, como espero la tuya, monje, y yo habría escuchado los pasos en el corredor que anunciaban su llegada con la misma alegría con la que hoy creo escuchar las pisadas que anunciarían la tuya.

Pero fue breve el encierro y mi repentina libertad me impidió encariñarme con el mudo, ese que pudo ser para mí como el dios al que rezaba Constanza, ese que tú convocas, al que le das explicaciones no pedidas, ante el que te disculpas y al que increpas, ese que escucha sin responder tus oraciones, como escuchaba, quizá, las de mi madre.

Y a él, como hoy a ti, cuando no estás conmigo, podría haberle confesado mi derrota: no hubo para mí califa, como lo hubo para Ifriquiya, que cubriera de almendros la ladera del monte cuando echaba de menos la nieve blanca, ni nadie que llenara mi patio de canela y jengibre para que pudiera revolcar mis pies en un barro aromático. Elegí el Imperio y he perdido, y ahora no lloro por la corona, sino porque tú no has venido y esta tarde comienza a ser interminable.

Quizá tenían razón ellos: mi padre, Alfonso, Gelmírez y Pedro Ansúrez; puede ser que un reino sea demasiado grande o demasiado chico para una mujer. Yo me conformaría en este momento con tener los cojines de seda donde Zaida recostaba la cabeza, y alguien a quien mimar, alguien que fingiera interés por lo que cuento, que notara mis cambios y a quien le inquietaran mis humores, alguien que me buscara en las noches de luna o cuando el ciclo vuelve a repetirse.

Pero no hagas caso, esto nunca llegaré a contártelo, porque estos lamentos son impropios de una crónica. Probablemente estoy enferma; aquella muerte que presentí en la torre del Castellar ronda ahora las paredes de este monasterio. Allí el enano jorobado probaba todas mis comidas, antes de que yo lo hiciera, porque yo estaba asustada y sabía que también Alfonso disponía como yo de sus Gómez González; pero hoy aquí nadie prueba las mías. A lo mejor todavía Urraca es importante para los que están afuera y estos dolores, esta punzada que me impide dormir y me hace revolcarme, tiene algo que ver con los retortijones que en aquella ocasión sufrió mi marido.

Si fuera así, todavía Urraca seguiría reinando desde su encierro, aún contaría, sería peligrosa, alguien que había que tener en cuenta, para deshacerse de mí, por ejemplo...

Pero no. Nadie necesita probar mis comidas, porque ya no soy obstáculo, ni para Gelmírez, ni para mi hijo. Entonces Alfonso deseaba apartarme, porque yo conservaba mi fuerza, era la reina.

Y, sin embargo, no puedo dejarme vencer. Todavía me queda la escritura, este relato que es obra mía, mi respuesta y, ya que a esa tarea he de dedicarme, aunque tú hoy no vengas, debo seguir un orden, debo volver a mi crónica.

Pero ya ves, cuando voy a comenzar a narrar, los sucesos se disuelven, pierden consistencia: Yo fui aquella que escapó de la torre-fortaleza del Castellar, rescatada por Gómez González, y yo fui la que, segura ya en mis tierras, reuní un poderoso ejército para combatir a las tropas de mi esposo, y fui también la que decidió que fuera el conde de Lara el que mandara ese ejército para rebajar las ínfulas de Gómez González, que desde la enfermedad de Alfonso se atribuía demasiados derechos. El conde debía pensar que su intervención me obligaba y me ataba a él irremediablemente.

¿Te das cuenta? Toda la historia puede reducirse a unas líneas. Lo otro: las pasiones, la envidia, el deseo, se empobrece cuando se convierte en letra. Gómez González y el de Lara eran amigos y ambos decían amarme y los dos habían gozado conmigo, pero a partir de ese momento competían también por la corona. Era evidente que mi matrimonio, antes o después, iba a anularse; yo no podía seguir con Alfonso después de mi humillación y mi encarcelamiento y por tanto cualquiera de ellos recuperaba la posibilidad de casarse conmigo. Y por esa convicción, que yo no fomenté, comenzaron a recelar el uno del otro y a esquivarse.

Y yo, sin proponérmelo, fui causa de lo que no iba a tardar en producirse. Yo, que desde lejos había movido la mano de Gómez González, cuando intentó la muerte de Alfonso, incité la rivalidad entre aquellos dos que siempre habían compartido todo, y por eso hoy puedo repetir que también provoqué, a mi manera, la muerte de Gómez González.

Coloqué al de Lara a la cabeza del ejército y él, en el momento más decisivo de la batalla, se retiró del lugar con sus hombres, dejando solo y a descubierto a Gómez González, y así mi conde, el que me había rescatado, encontró allí la muerte por la traición o la cobardía del conde de Lara.

Hoy no me inspiran los buenos espíritus. Se interpone una y otra vez el ángel de la muerte de que tú me hablaras. Murió Prado y murió Gómez González y pocos días después era luna llena y yo volví a dormir con Alfonso. Sangre impura de la herida del amigo, que todavía no se había cerrado, banquete sangriento y rojo como el escarlata de mi manto regio. Sangre de la vida y de la muerte que enloquecía a Alfonso y que a mí me hacía perder el sentido. La muerte, monje, tiene un solo color y tú has aprendido a pintarlo, ese color que yo a mi vez bebía de labios de Alfonso, mientras la espada seguía clavada en el pecho de aquel que tantas veces me había recorrido con sus manos pacientes y sabias, ese conde gracias al cual huí de la fortaleza de Castellar.

Y todo lo demás son vaivenes de una misma historia de encuentros y desencuentros; episodios de una larga partida de ajedrez. Seguramente, cuando subas mañana, habrás terminado de tallar tu última figura; puede ser que no hayas venido porque preparas una sorpresa para tu reina, a la que ya habrás dado el color rojo de su manto.

Puedo resumírtelo todo en muy poco espacio: Alfonso y yo, juntos de nuevo; Alfonso y yo, separados. Alfonso, sitiado por mis tropas en el castillo de Peñafiel; Alfonso, en tratos con mi hermana Teresa y mi cuñado Enrique. Yo, intentando salir al paso de esos pactos...

Pero todo eso ahora me da igual, como me dan igual las idas y venidas de Gelmírez, los contactos del conde de Traba, que seguía vigilando a mi hijo, los intereses de los hermanados, enfrentados a Gelmírez y al de Traba. Todo eso será Historia, pero a mí, aquí, en este monasterio, ha dejado de preocuparme el recuento de las batallas.

Podría hablarte, en cambio, de la ambición de mi hermana —que se manifestó entonces— de sus mentiras, de su afán por figurar; podría contarte cómo quedó defraudada cuando yo —esta vez unida a Alfonso— le tendí una ingenua trampa, en la que cayó como una niña sin experiencia, quedando acorralada en la ciudad de Sahagún, en el momento en que ya se sentía dueña y señora de la plaza.

Pero eso son sólo anécdotas, y me cuesta entrar en el

cuerpo de aquella Urraca que en el año de 1111 recorría a caballo las comarcas de Castilla y León, saliendo al paso de conspiraciones, alianzas, cambios.

Puede ser que también yo esté enmeigada y que un mal espíritu me atormente y me haga ver las cosas de manera distinta; una «mala ollada» me hace desvariar, y no me reconozco en esta pobre enferma que se queja y lloriquea, sólo porque tú, Roberto, no has acudido a tu cita. Y ni siquiera tengo conmigo a Poncia para que me ayude a recordar la fórmula precisa que podría librarme.

Esta noche también hay luna llena, y los maullidos del gato me recuerdan el llanto de un recién nacido. Quizá se aproximan los días impuros y a eso se deba esta debilidad: cuando van a llegar soy más llorona y, como en días semejantes tenía a Alfonso conmigo, ahora, Roberto, te necesito más para que pruebes tú también de ese licor, que hace recordar al vino denso y oscuro que bebí aquellos días, antes de mi encierro, en la corte de Alfonso. Era un vino que tiznaba los labios y la lengua y dejaba morados los dientes, y a mí me hacía olvidar el aire adusto de aquellos caballeros soldados; me hacía prescindir de la mirada recriminadora de Esteban o de Castán, de los celos de Bermudo; quitaba importancia a las vacilaciones de Alfonso.

Si yo tuviera aquí de ese vino, Roberto, lo escanciaría para ti y celebraríamos juntos esa misa negra que tanto atraía a mi esposo y tanto envidiaba Castán, ahora, cuando vuelve a alumbrar la luna, redonda como un pan, ahora que las aguas pegarán con más fuerza contra las rocas blancas de Muxía, donde ya seguramente nunca regresaré.

PARTE TERCERA

Mis más gratos momentos son aquellos
en que unido conmigo mismo
estoy
cuando estoy conmigo, de mí proviene
el sol de mi alegría
y me vuelve mi pobreza original

Al-Xustari

XIII

Bien; por fin ha sucedido. No ha sido demasiado gratificante, pero me ha traído la calma. La carne blanca y sin vello de mi monje me ha traído la huella de otros cuerpos... cuerpos que se dejan, se tocan, se olvidan, cuerpos que regresan como vapores, trayendo olores, tactos... Raimundo de Borgoña... un caballero en busca de una buena tenencia.

La habitación se encendía aquella primera vez. Yo era una niña y él no era el primero, pero en tanto que promesa de matrimonio, que señora que se le entregaba... Deja, deja... No... ahí, no... Ahora. Vente conmigo, vente. Cinco veces aquella primera vez, cinco torpezas y la seguridad del premio merecido.

Raimundo... No es sencillo transcribir aquel gemido, que creo sentir ahora, cuando su cabalgar se hacía más rápido y su espalda tersa y flexible parecía que iba a quebrarse... aquel alarido que ahora vuelvo a oír tras los jadeos precipitados, asustados del hermano Roberto, aquella garganta joven de animal en celo. Palabras pronunciadas en una lengua que yo no entendía, obscenas por su solo sonido... Una tenencia, un reino. Pero la piel blanquecina del hermano Roberto, sus ayes entrecortados y ese suspiro final que derrama todas las frustraciones contenidas y le reintegra a un sueño avergonzado, no son los de Raimundo: la pereza de sus manos casi femeninas, la largura inhábil de su miembro, su caída y su rápida recuperación para hablar de proyectos, de fronteras, tomas de posición, conquista, cruzada.

Duerme ahora el monje a mi lado, despreocupado ya del posible castigo del abad, olvidado de culpas y excomuniones. Para él ha sido bueno y a mí me ha dejado un sabor poderoso, cargado de imágenes... No podía dirigir, sin herirle, sus tanteos de principiante; no supo complacerme, pero me siento bien, como si el deseo se hubiera alejado ya de Urraca y fuera sólo la ternura lo que esperaba de este encuentro, el dar el goce.

Los cuerpos no se cuentan... pero vuelven frases, vuelve la luz, el desgarrarse de las telas, el galope, las risas precipitadas, el juego.

Don Pedro de Lara me conocía bien y juntos fuimos dioses, ya que sólo los dioses desconocen el límite.

«Eres también él, el mozo que por las tardes ensilla mi caballo. ¿Ves cómo me has puesto? Esto que ves aquí es tu regalo... pero tienes que implorar. Ahora eres una niñita, sólo una niñita que pide un juguete. Es tu caramelo y debes conquistarlo... Mira... Te sonríe... también él te quiere, está contento. Te espera... Vamos, acaríciale... es como un gatito mimoso que espera que le acaricies. Los caramelos pueden masticarse, pero es mejor chuparlos... Tócale, te dejo que le toques si quieres... No, no. Ahora apártate; no ha de ser para ti, todavía.»

El juego del deseo renovándose. El hermano Roberto descansa a mi lado y no precisa de artificios. Pero el deseo, yo lo sé, para que no se agote, requiere la construcción, el invento. Yo, para el monje, soy la que ha recogido sueños y sueños de noches calenturientas, febriles. Pero don Pedro y yo teníamos que improvisar día a día, hora a hora, para que la llama volviera a prenderse; sólo se desea aquello que sorprende, lo que se arranca al tiempo, lo que provoca, y, cuando da la calma, vuelve a perderse... Gómez González no entendía demasiado de juegos, pero era cumplido y paciente, siempre certero. Don Pedro, en cambio, representaba para mí, como yo representaba para él en ceremonias siempre nuevas, en escenarios cambiantes, inesperados:

«Ahora soy yo, hoy soy yo el que llora, el que suplica. Soy un infiel, un puerco infiel maleducado y entrenado en el pecado nefando. No merezco nada; sólo que me desprecies.... Pero mi ama es generosa, a mi ama le complace sanar las heridas de sus siervos. Deja que tu lengua resbale por mi espalda hasta que se detenga en ese centro que es amenaza... Tú no puedes..., ¿cómo ibas a poder? Tú eres mujer; pero no importa, no te pongas triste, súbete en mis nalgas... así, así, más deprisa.»

Todas las escenas se funden. Don Pedro era imaginativo, y es buena la imaginación cuando se busca el goce:

«Hoy quiero tu cuerpo de mujer, ese cuerpo que aprietas y escondes bajo la toga. Inclínate; voy a derramar mi fuerza en esa boca tuya que es cáliz. Arrodíllate. Mi reina me recibe en comunión... todo para mi reina.»

Y ahora aquello se convierte en escritura. Hasta el hermano Roberto, que duerme complacido, es ya parte del texto que tengo que contar; ya no vivo su carne, sino en tanto que crónica. Urraca, estás vieja, estás cansada. ¿Qué diría Gelmírez si te viera?

Con él, en la cama, nunca fueron las cosas como debieran: fueron siempre abrazos precipitados, fugitivos, con mala conciencia. El Obispo no amaba ese tipo de posesión y no porque quisiera ser poseído. Es complicado hacer el amor, cuando uno de los dos se empeña en conservar la cabeza despejada, las ideas claras y el cuerpo preparado para saltar del lecho y pasar a otra cosa. Gelmírez tenía toda la energía concentrada en otra parte, por eso, en realidad, cuando vino a mí fue siempre por inercia, porque él sabía que a su reina la relajaba y la hacía más propicia. Pero siempre sin entusiasmo, sin convicción, y su cuerpo regordete, de eunuco, se mantenía a la defensiva, porque el Obispo, sin su manto episcopal y sin su báculo, perdía la seguridad y resultaba tímido y encogido.

No tenía imaginación el Obispo en la cama. Tal vez porque vivía su poca potencia como falta, y él no podía, ni quería, sentirse disminuido en ningún campo. Por eso procuraba evitar las ocasiones, y cuando se producían acudía a ellas como si se dejara hacer. Se desnudaba con cierta vergüenza y luego se aproximaba a mí para iniciar un ritual frío y lleno de pautas aprendidas, que terminaba sin demasiado estruendo y se iniciaba sin excesivas premisas.

Pero no era eso lo que yo quería de Gelmírez, ni tampoco lo que él quería ofrecerme.

Lo cierto es que su iniciativa me pilló desprevenida. Fue a partir del otoño de 1111 cuando el Obispo comenzó a tomar las riendas, y he de confesar que sus primeros pasos me desconcertaron.

Mi cuñado Enrique, indignado por la humillación que había sufrido mi hermana Teresa en la encerrona de Sahagún, se volvió contra mi esposo e intentó sitiar la ciudad de Carrión en donde él y yo nos habíamos reunido de nuevo.

Alfonso y yo seguíamos juntos, pero cada vez desconfiábamos más el uno del otro. Por eso la oferta de Gelmírez, aunque inesperada, llegó en el momento adecuado. Adecuado para el Obispo, en cualquier caso, porque a mí me cogió con la mente confusa y en un estado de vacilación. Por eso no me negué como debiera haber hecho, sino que comprometí mis intereses y los de la corona, dando un paso del que luego me he arrepentido.

Mi hijo estaba bajo el cuidado de uno de los hombres más decididos de la Hermandad gallega, Arias Pérez, hombre sin demasiadas luces, pero tenaz y decidido siempre a oponerse a los ricos hombres que le tenían a él y a los suyos sometidos. Pero el de Traba y Gelmírez daban cien vueltas al labrador, y Arias Pérez se dejó convencer por el Obispo y le entregó a mi hijo. Yo no tardé en saberlo de boca de un emisario mandado por el propio Gelmírez que me puso al tanto de sus propósitos: mi hijo iba a ser coronado rey de Galicia.

Era una buena baza del Obispo que me colocaba en una situación muy difícil. Yo contaba con gentes firmes, dispuestas a apoyarme en tierras gallegas, pero si Arias Pérez había cedido, poco me quedaba por hacer. El partido de mi hijo se alzaba frente a mí y yo no podía moverme con libertad, porque en aquel momento mis únicos posibles aliados frente a mi marido, del que quería deshacerme de una vez, eran precisamente Gelmírez y el de Traba, por un lado, y, por otro, los burgueses gallegos. La unión de todos ellos me dejaba sola, y una vez más tuve que reaccionar con rapidez.

A través del mismo mensajero, agradecí a Gelmírez el interés tomado por los asuntos de mi hijo y, sin dar mi consentimiento explícito a una absurda ceremonia, que debía colocar la corona en la cabeza rubia de un niño de seis años, hice como si no me diera del todo por enterada; pero tampoco me enfadé, ni manifesté disgusto, en la confianza siempre de que el tiempo servirá para demostrar lo inútil de aquella coronación, su deslealtad y su ilegalidad. Por el momento me convenía callar y esperar, o al menos eso es lo que creí entonces.

Dos entradas triunfales ha realizado mi hijo en esa

basílica que es, de algún modo, el gran premio del Obispo, la hazaña verdadera con la que pretende pasar por encima del tiempo y pervivir más que cualquier monarca: una mitra arzobispal y una basílica que no tienen nada que envidiar a esas que, cuentan, existen en las tierras de Tolosa; gigantesca construcción en piedra, en cuyo campanario una vez pude hallar refugio. Ahora, cuando todos estamos más próximos a la muerte, comprendo que también en eso el Obispo ha sido más listo y más eficaz su tonta venganza, esa que quizá sólo conocemos él y yo.

Ni siquiera mi hijo, cuando atravesó su umbral, podía saber que allí está para siempre inmortalizada su madre por la broma bastarda de Gelmírez... La mujer adúltera, la que besa una y otra vez la cabeza cortada de su amante. Es gracioso: Urraca penitente por la osadía del Obispo, fija y persistente en la piedra gracias a los celos de Gelmírez. La adúltera.

Y bajo ese relieve en piedra pasó aquella mañana, engalanado con sedas, mi hijo Alfonso Raimúndez, para ceñirse la corona de su reino que devolvía a Gelmírez y al de Traba la soberanía sobre toda una parte de un territorio que sólo a mí me correspondía gobernar.

Yo también soñaba con entrar triunfalmente en aquella basílica. Y mi esposo, Raimundo de Borgoña, también lo esperó; formaba parte de los cantos de sirena que empleaba el Obispo para engatusarle: «Tendréis la mayor catedral de todo el Occidente cristiano; una catedral digna de un emperador.» Y Raimundo se pavoneaba ante la perspectiva de que tuviera dos naves más que la de San Isidoro. Una catedral digna de un monarca...

Además, Raimundo nunca abandonaba su visión comercial; como tampoco la olvidaba Gelmírez, y una iglesia grande daba la posibilidad de albergar a un número también grande de peregrinos. Y la peregrinación deja dinero.

Gelmírez controlaba toda una serie de pequeños negocios en torno a su iglesia; sus rentas en lo fundamental no provenían del pequeño comercio, sino de sus tierras y de sus diezmos, pero Gelmírez era avariento y pensaba que no había por qué desperdiciar otro tipo de asuntillos de menor alcance: hospederías, casas de comida, venta de productos, reliquias...

A mi esposo Raimundo de Borgoña le molestaban esas actividades del Obispo; le parecían indignas de un hombre de Dios, y en muchas ocasiones se enfrentaron porque Raimundo le reprochaba a Gelmírez que se manchara las manos en asuntos de poca monta, negocios que de algún modo desacreditaban su rango y su jerarquía. Pero esos reproches no inquietaban demasiado a Gelmírez. Se lo había montado bien: nunca aparecía directamente en las operaciones; controlaba una poderosa red de comercio, que traficaba con paños de Bruselas y tejidos importados de Córdoba y Sevilla.

Santiago era lugar de cambios, y el Obispo favorecía esos cambios sin que su prestigio se manchara. Gelmírez actuaba sin contar con Raimundo, apoyándose en una socarrona sabiduría práctica:

—Los hombres como tú, hombres de caballo y guerra, contáis con el botín y la ampliación de fronteras. Los hombres de Iglesia, como yo, tenemos que apañarnos a nuestro modo...

Y a su modo había conseguido controlar un mundo de pequeñas transacciones; contaba con mercaderes a uno y otro lado de la frontera, dispuestos a llevar y traer las mercancías que, luego, en el mercadillo de Santiago, se ponían a la venta, bajo el beneplácito y la protección de la sede eclesiástica. Pocos sabían que gran parte del dinero que llegaba a Santiago pasaba al final a engrosar las arcas del Obispo. En sus homilías y en sus sermones, Gelmírez atacaba una y otra vez la usura y la compraventa, como actividades propias de judíos y hombres sin religión, pero los plácemes y salvoconductos que llevaban los mercaderes para atravesar la frontera de Jaca o para trasladarse a Badajoz y Córdoba salían directamente del despacho del Obispo, adornados con indulgencias y oraciones al Santo.

Gelmírez había conseguido, ya en época de mi padre, algo que parecía impensable en tierras cristianas: la posibilidad de acuñar moneda por cuenta propia. Gelmírez actuaba de hecho como soberano, y yo o mi hijo éramos sólo pretextos para que nadie disputase su soberanía, soberanía que tenía mucho que ver con el negocio y las arcas bien repletas.

Ahora mi hijo Alfonso Raimúndez ha recogido todo lo que para él sembrara el Obispo. Y tiene algo que él nunca pudo alcanzar: la soberanía, legitimada por la herencia; eso que no se puede comprar con ninguna moneda. Al fin y al cabo, el Obispo fue siempre un hombre de iglesia que se salía de su campo, sin llegar a triunfar verdaderamente en ningún otro: ni comerciante del todo, ni señor, ni caballero, ni monarca. Obispo, pero obispo que no se conformaba y que intentó en todo momento dirigir los destinos de Galicia, hasta cuando parecía que trabajaba para mi hijo.

Las piedras de Compostela apenas retumbaron cuando Alfonso Raimúndez se arrodilló para recibir la corona de manos del Obispo en una fastuosa ceremonia. Gelmírez había mandado cubrir los andamios con cintas de enebro y muérdago, y los gruesos candiles de bronce fueron encendidos, mientras juglares, llegados de las cortes de Francia, entonaban trovas al paso de mi hijo.

La mujer adúltera velaba desde el tímpano de la catedral, como yo debía velar desde mi alcoba cada uno de los movimientos del Obispo.

—Yo haré que los siglos contemplen tu pecado, esculpido en la piedra.

Y no era una cuestión de moral. Al Obispo no le importaba con quién dormía yo, pero cada vez le irritaba más, sobre todo desde que murió Gómez González, la presencia constante a mi lado de don Pedro de Lara, al que atribuía mis veleidades y mis cambios.

Pero mi hijo seguramente ignorará, como por otro lado ignoran todos los nobles y burgueses de ese reino mío que es Galicia y que me ha sido arrebatado, que su única reina y señora vela esculpida en piedra, por los siglos de los siglos, besando una y otra vez la cabeza cortada por la envidia y los celos: cabeza que Gelmírez nunca pudo cortar, aunque le hubiera gustado hacerlo.

Allí, junto a los temas sagrados, junto a las Tentaciones del Diablo a su Señor, la Adúltera crece y se convierte en símbolo. ¡Ah, Gelmírez! Esa es mi venganza. Igualada para siempre al señor, desafiante al tiempo. Y es el amor lo que me rescata. Yo también en piedra, como el Altísimo, en cuyo nombre decías actuar. Y no hay tentaciones que vencer; la cabeza que sostengo entre las manos es la ofrenda que hago de aquella dedicación que fue mía: amé y fui amada. Yo, y la tizna de herejía. Tu Dios vence las tentaciones, pero el amor por la cabeza inerte lava la mancha. La Adúltera confirma mi triunfo. Cuando todos hayan olvidado a Urraca, mi relieve seguirá en pie, demonio encarnado; tú me has igualado al Altísimo, sin proponértelo, tu absurda broma me ha dado la memoria. Y, aunque nadie sepa que aquella es Urraca, tú sí lo sabes, como yo lo sé y tiene sentido nuestra apuesta. ¿Te acuerdas cuando ambos tuvimos que refugiarnos en la torre de la catedral...?

Pero no puedo desviarme. Esto, Obispo, es una crónica y antes de contar ese instante en que compartimos el miedo, cuando sentí el frío del bronce de las campanas, debo retornar a aquel año de 1111, cuando en esa misma catedral, en la que tú y yo después buscaríamos refugio, hiciste coronar a mi hijo.

Porque todavía iban a suceder muchas cosas antes que tú y yo volviéramos a encontrarnos. Por el momento tú y el de Traba habíais tomado la iniciativa, y ante la noticia de que el de Traba conducía al niño a León, para que también allí fuera coronado, Alfonso se preparó para luchar de nuevo. Y yo otra vez tenía que secundarle.

Pocos ejércitos podían enfrentarse al de Alfonso en combate abierto. Sus tropas alcanzaron a la comitiva en Viandangos, y su victoria demostró que los manejos del Obispo podían tener éxito en salones e iglesias, pero no eran fáciles de sostener en el campo de batalla. Pedro Froilaz fue detenido y tú, Obispo, siempre más hábil, pudiste escapar a tiempo, llevándote a mi hijo, Alfonso Raimúndez, y sólo dos días después volví a tener noticias tuyas. Me ofrecías la custodia del niño, alegando que en ningún momento la coronación estaba montada contra mí. Querías que nos reuniéramos y discutiéramos con calma, porque sospechabas que las cosas entre Alfonso y yo no iban del todo bien.

Tenías razón, Obispo, y yo lo sabía. Por eso, mientras Alfonso se ensañaba en tierras de León y Lugo, acepté tu oferta y de nuevo fuimos aliados. Desde aquel momento mi causa, la de mi hijo y la tuya serían una sola. Por lo menos hasta que Alfonso fuera definitivamente expulsado de mis tierras.

XIV

Hace frío. El brasero apenas sirve para calentar estos gruesos muros que rezuman humedad y moho, y Roberto no ha acudido a la cita: remordimientos de conciencia o miedo al castigo; en cualquier caso, mi túnica está ajada y quisiera cubrirme con el pellizón de armiño con que debí ser coronada en Santiago. Mi brial está gastado y sucio, y sé que estas toscas telas de lana marrón no son propias de una reina. Quizá debí vestirme con cendales como Zaida, cendales bordados con hilos de oro, que dejan traslucir el cuerpo y alimentan la imaginación.

Una mujer, decía mi padre, nunca debe cambiar los cendales de seda por el metal de la malla. Y, no obstante, no son las sedas lo que echo de menos, sino la dureza fría de la loriga sobre mi piel, ciñéndome el pecho y las caderas: la espada al cinto de hoja firme y doble filo, la espada que aprendí a manejar en aquellos torneos, quebrantando tablados, midiendo mi agilidad y mi fuerza... Y es extraña esta nostalgia, porque nunca amé la guerra.

O tal vez sí. Los juglares mezclan sus canciones obscenas con retahílas en las que aparezco ante mi pueblo como la mujer virago; soy para ellos la que nunca descendió del caballo, la que disfrutaba con el roce de las armas, la que saboreaba el rojo de la sangre. Ellos me acusan de haber sido causa de su ruina durante casi veinte años...

La guerra. Raimundo de Borgoña la amaba, como la amó mi padre y la buscó Alfonso. ¿La echo de menos yo?

Fue mi padre quien me regaló aquel tambor a su regreso de Zalaca, y desde entonces fue mi juguete preferido, el que horrorizaba a Constanza y la hacía perder la paciencia. Ella me hablaba de laúdes y salterios, de gaitas, y yo golpeaba aquel tambor, trofeo que, en realidad, era constatación de una derrota.

Mi padre exageraba los adjetivos cuando aludía a las huestes de Yusuf: hombres-monos, procedentes del abismo, casi desnudos de cuerpo y desnudos de alma... hombres negros, terribles, que golpeaban frenéticamente instrumentos como aquél, inarmónicos y guerreros... tambores realizados con tersa piel de hipopótamo, animal extraordinario que nadie en mis tierras había visto nunca.

Yo tocaba el tambor para escándalo de mi madre, y oía retumbar en mí los pasos de aquel ejército sucio, mal oliente, capaz de dispersar a sus enemigos con su mera presencia... Miles de tambores resonando en los oídos de los caballeros desconcertados; tambores, retumbando como el trueno o como el mar contra las rocas de Muxía.

Mi padre lamentó su fracaso, pero lo atribuyó a los infiernos, y en los campos de Badajoz quedaron desparramados cientos de cadáveres: el tambor y la muerte sobre el llano, cerca de la ribera del río Zapatón. Mi padre mostraba la herida que recibió en el muslo y se quejaba:

—Era un ejército cristiano impotente frente a las huestes de Satanás.

La guerra. ¿Por qué iba yo a odiarla? Viví en ella, igual que Zaida vivió entre poetas y danzarinas. Zalaca sólo era para mí un relato de aventuras. Ellos eran el mal y ellos venían del otro lado del Estrecho: extranjeros de color cetrino, hileras cerradas de hombres que avanzaban al repique monótono de un tambor realizado con la piel de una bestia fantástica. Za-la-ca... Tres años antes mi padre había alcanzado aquel mar del Sur, y en Tarifa metió sus pies en el agua para poder gritar: «He alcanzado el último confín.» Para mí, el último confín será siempre mi Finisterre, pero me atraía también aquel otro mar, cálido y más azul, que describía mi padre, ese mar a través del cual navegaron los diablos.

La guerra... Nunca organicé razzias, ni me preocupé por la ampliación de mis fronteras. Mi padre tiene que estar defraudado, allá donde se encuentre. Yo sólo luché por conservar lo que por derecho me correspondía; nunca ocupó mi tiempo el modo de conseguir más botín o nuevos tributos, y en cambio a mi alrededor he visto enloquecer a los hombres ante la posibilidad de amasar más riquezas o acumular más tierras.

Mi padre vivió rodeado de buenos guerreros. Hombres como Álvar Háñez, a los que debía gran parte de sus éxitos en las fronteras. Pero Álvar Háñez nunca pretendió ser más que un soldado, no intentó aplicar la Ley por su cuenta y mucho menos instaurarla. No fue, como Rodrigo Díaz, un mercenario sin escrúpulos, dispuesto siempre a valerse de la justicia y la palabra divina para aumentar sus bienes y para compensar la frustración que le producía el estar alejado de la corte.

Rodrigo era un guerrero sin espíritu, de esos que provocan desdicha y tiranía; un soldado metido a gobernante.

Monje, si estuvieras conmigo cerrarías los ojos, desmintiéndome, porque supongo que tú también prefieres rescatar a Rodrigo. Probablemente tú también le admiras; será para ti el incansable luchador, el guerrero que tú no puedes ser, el que se atrevió a pedir cuentas, el que eligió el destierro. Héroe para ti también como lo es para mi pueblo.

Yo sé que su nombre es cantado con unción, casi con la misma con que tú rezas tus oraciones y entonas tus himnos, y sé también que los que invocan su nombre y ensalzan sus hazañas pretenden lanzar a mi rostro el insulto que antes no se atrevieron a arrojar al de mi padre: un rey injusto y un guerrero noble. No está mal. ¿Verdad que es así como lo prefieres?: generoso, leal, desprendido, valiente; caballero sin tacha, gran señor en sus tierras, injustamente desplazado por un rey fratricida y venal.

Cerrarías los ojos para no contradecirme, para no ofenderme con tus dudas, para que la mancha de mi padre no volviera a tiznarme, pero yo bajo tus párpados podría adivinar el brillo del metal bien bruñido de su espada, el metal infatigable de su acero porque tú has crecido como los otros en la admiración por él; ese Campeador cuyas gestas seguramente canturreas en voz baja.

Y yo, monje, te daría la razón y te hablaría de Rodrigo el generoso, de Rodrigo el leal, de Rodrigo el noble, para que continúes enaltecido y traslades esos ímpetus a tus dibujos, para que veas a tu reina como la restauradora, la que aporta el orden, la que borra el pecado original, y me callaría lo que realmente pienso, no te diría que un guerrero metido a justiciero tiene siempre algo de buitre. Pero como no estás aquí, como has faltado a tu cita, aunque quisiera, no podría describirte a ese Campeador que tan perfectamente llegué a conocer: Un aventurero sin escrúpulos, que precisaba de la ley para disfrazar su fuerza. ¿Sabes una cosa? El guerrero lucha en campo abierto, avanza o retrocede, pero se vuelve peligroso cuando quiere justificar lo conquistado, cuando recurre a la palabra divina y al juicio de Dios para consolidar lo que antes fue decretado por sus armas. Como en el feo asunto del ceñidor de Zubayda...

¡Ah, Roberto!, me parece tener a mi lado tus cabellos rojos, y este rayo de sol que se engancha en mi toga enciende luces en tu cabeza. Veo tu mirada curiosa ante el nuevo nombre, tus ojos muy abiertos y a la espera, y yo me preparo para narrar, conociendo de antemano que el nombre cosquillea tu espalda, ese cuello en el que yo ahora dejaría posar mi mano. Quizá, monje, esta nostalgia por tu ausencia se parezca demasiado al amor; yo también ahora quisiera llevar en mi cintura el ceñidor de Zubayda para que tú pudieras desabrochar la fíbula con la misma precisión con que realizas tus miniaturas.

A Alfonso, monje, le gustaba que yo dejara mi cinto de lana en torno a la cintura, cuando me quitaba las sayas; pero el cinturón de Zubayda despertaba más la codicia que el deseo, y no adornaba caderas de mujer, sino que estaba guardado en cofre de marfil, cerrado con llave de oro. Puede que hubiera sido forjado para la favorita de un sultán, pero cuando yo era niña era sólo joya atesorada, oro que podía fundirse, gemas que podían venderse.

¿Te acuerdas de al-Qadir, Roberto? Alguna vez te he hablado de él. Mi padre le entregó Valencia para compensarle por la pérdida de Toledo y era él quien guardaba el ceñidor y fue a él a quien se lo quitaron.

De nuevo el crimen; otra vez una historia de buenos y malos de las que tanto te divierten. Tus cabellos, Roberto, recuerdan las llamas del abismo y en ese abismo quisiera enterrarme. Pero como no estás, como no hay cuello que acariciar, ni muslos que recorrer, hablo en voz alta de Rodrigo y rememoro la historia del ceñidor para ver si así acudes, convocado por el relato.

—¿Y qué ocurrió entonces? —preguntarías, y se fruncía tu labio esperando, con ese gesto de desconfianza y desafío con que escuchas, sin dar nunca del todo tu consentimiento.

Un crimen vulgar, monje, para lograr un ceñidor. La víctima fue al-Qadir y Rodrigo tenía que aparecer como el santo justiciero. Y, desde luego, había que buscar un malo. Desconfía, monje, del juez que se beneficia del castigo que impone. Yo no sé si Ibn Chahhaf, cadí del reino de Valencia, dio muerte a al-Qadir; ya es demasiado tarde para reconstruir los sucesos; ni sé si fue él quien robó el cinturón. Pero sí conozco quién salió beneficiado de aquel crimen y de aquel juicio.

¿Verdad que lo imaginas? Rodrigo quería apoderarse del reino de Valencia o, al menos, someterlo a su tutela, y aquella historia le vino como ceñidor al dedo. No era fácil desplazar a Ibn Chahhaf, porque era querido y respetado por sus súbditos, por eso aquel crimen y aquel hurto fueron sólo pretexto: Rodrigo organizó otra Santa Gadea a la musulmana, en la que obligó a jurar a Ibn Chahhaf que él no había participado ni en aquel robo ni en aquella muerte, y pocos días después un alguacil —es fácil colocar la prueba requerida en el sitio oportuno— hizo un registro en casa del cadí y encontró el ceñidor de la sultana.

Monje, creo adivinar que se te encienden los ojos. También tú eres sabio, también tú podrías reconstruir sin que yo continuara mi relato lo que acaeció despúes. Eso es. Exactamente lo que piensas, lo que habrías pensado si estuvieras aquí: Rodrigo aprovechó el descubrimiento para quebrar todos sus pactos, prohibió a la población musulmana el uso de las armas y, despúes de haber realizado una limpia sistemática de los elementos que consideraba rebeldes o más intransigentes, transformó la Mezquita en iglesia cristiana y además se adjudicó el derecho de acuñar moneda, derecho que, por otra parte, y como él muy bien sabía, sólo le correspondía a mi padre. Se comportó, monje, como un reyezuelo más, y los tributos que pagaba a mi padre no se diferenciaban en nada de los parias que pagaba al-Qadir... Un soldado metido a justiciero.

Pero ahora, Roberto, comprendo que tal vez Alfonso tenía razón cuando me reprochaba mi inconsecuencia; una reina, decía, no es tal hasta que no aplica la justicia por su mano. Y yo sé qué es lo que entendía por justicia: una cruz de término y un hombre con las manos cortadas; un cuerpo que pende de la rama de un árbol sobre el que se posan los cernícalos; una cabeza clavada en una estaca, ondeando como bandera y para escarmiento.

También mi padre lo repetía: «Sólo la muerte del otro da medida de la justicia. Es justiciero quien tiene poder sobre la vida.»

La prueba judicial, el rapto... la batalla desigual que decreta la culpa y el castigo. Nadie le exigió a mi marido Alfonso que se sometiera a juicio para demostrar que no había tenido parte en la muerte de su hermanastro y es una lástima, porque seguramente él lo habría agradecido, ya que así quizá se le habría brindadao la posibilidad de realizar su soñado viaje a Palestina. Puede ser que llegara a envidiar a Berenguer Ramón...

Era hermosa Mafalda, monje, o, mejor dicho, todavía se conservaba hermosa, envuelta en su luto inconsolable, cuando llegó a la corte de Castilla para pedir justicia. Mi padre se dejó impresionar una vez más por aquellas coletas negras y además Mafalda le daba la oportunidad de borrar cualquier malentendido sobre su propio pasado: él podía convertirse en Rodrigo y pasar a ser árbitro en un juicio contra un presunto fratricida. La historia se repetía y mostraba un lado irónico. ¿Cómo, quien había dado muerte a su hermano, iba a atreverse a someter a juicio de Dios a otro de quien se afirmaba que había quitado la vida al suyo?

Siempre te complace, monje, que te hable de mujeres. No conocí a Zubayda, pero puedo contarte lo que quieras de la hija de Roberto Guiscardo; puedo describirte la forma menuda de sus pechos todavía firmes, los adornos con que se engalanaba, la sombra negra con que deformaba sus ojos para agrandarlos, el mohín despectivo de sus labios, sus lágrimas coquetonas, sus sedas. Aquel día sujetaba su pelo una gruesa diadema de oro, decorada con esmaltes, y largos collares de coral adornaban su cuello. Las damas de mi corte envidiaban aquellas telas, aquellos dijes, las perlas de sus anillos, su porte extraño, casi oriental, suavizado por su falsa tristeza de viuda.

Regresan los ruidos, el olor a hojas quemadas, olor a horno caliente mañanero, a pan recién cocido. Yo era una niña, monje, y no es a Mafalda a quien recuerdo sino a Berenguer Ramón. El conde poseía una cierta dignidad cuando compareció en la plaza. Antes de que dejara caer el yelmo, yo pude leer en sus ojos y no había en ellos miedo, sino aceptación.

Fue un duelo torpe, como si Berenguer Ramón quisiera perder, como si hubiera presentido que la suerte ya estaba echada y yo, mientras él, que iba siendo acorralado, se tambaleaba y luchaba por mantenerse erguido sobre el caballo a pesar de los golpes, observaba la sonrisa helada de Mafalda, su satisfacción por la que iba a ser su victoria.

Dos hermanos gemelos, uno de ellos con cabellos tan rojos como los tuyos, monje, que enamoraron a una princesa llegada del otro lado del mar, ese mar Mediterráneo que, como el mar del Sur que pisara mi padre, yo tampoco veré; mar cruzado por navíos y galeras que permitía el viaje a la tierra prometida...

Dos hermanos gemelos prendados de la misma mujer: Ramón Berenguer y Berenguer Ramón. Eran, Roberto, como las dos caras del espejo: el bien y el mal. Y Mafalda eligió al príncipe de bucles dorados, a Cap d'Estopa, el que poco después de su boda partió de caza y fue cazado en el monte.

Eran años de grandes arrebatos místicos y, cuando murió su esposo, Mafalda debió pensar que aquel clima favorecía su petición de justicia. Sólo un año antes habían aparecido grandes signos en el cielo. Por lo menos eso era lo que contaban los peregrinos que por entonces llegaron a Santiago, y eso repetía el abad Bernardo, uniendo las manos y bajando la voz.

—En el mes de abril, en la noche del Viernes, surgieron en los cielos pequeños fuegos como estrellas que iluminaron toda la Apulia, globos de fuego que cubrieron la tierra.

Y fue precisamente en la Apulia donde Bohemundo, el hermano de Mafalda, se apresuró a mover sus gentes y sus naves para acudir a la llamada de Cruzada que lanzó el Papa Urbano.

Y, sin embargo, Mafalda, para realizar su venganza, se conformó con recurrir al protagonista de una Cruzada casera, mi padre, y cuando Berenguer Ramón, su cuñado, perdió en el reto y fue declarado culpable de la muerte de su hermano, ella se permitió la clemencia e intercedió para que fuera simplemente desterrado; la expedición que capitaneaba su hermano iba a partir para Palestina y supo revestir su demanda de celo piadoso: «Dejémosle que vaya a Tierra Santa para purgar sus culpas.»

Berenguer Ramón zarpó para Palestina y nunca regresó. Probablemente allí el propio Bohemundo se encargaría de que aquel cristiano arrepentido no volviera en lo sucesivo a molestar a su hermana y a su sobrino.

Bohemundo... Me hallaba yo en Galicia la primera vez que vi a Pierre de Tours, caballero cruzado que había regresado de Tierra Santa y había acompañado al propio Bohemundo cuando desde lo alto de la catedral de Chartres predicaba una nueva partida, no ya para combatir a los infieles, sino para destronar al rey de Bizancio.

Pierre se enroló en seguida en las huestes de Alfonso. Era un hombre de guerra, pero era también un magnífico narrador y fue él quien nos contó detalles de lo que allí, en Jerusalén, había sucedido. Mafalda podía estar orgullosa de su familia.

Llevaba purpurina en los párpados y se le quebraba el tono cuando se refería a su desdicha. ¡Cap d'Estopa, Cap d'Estopa! Mi padre a su lado parecía contento. Mientras contemplábamos el duelo comíamos fruta; Mafalda mordisqueaba un melocotón y el sol relucía en la purpurina de sus párpados, como brillaba en el yelmo de Berenguer Ramón, el perdedor. El caballo del conde portaba silla y frenos de plata, y su adarga relucía como si acabara de ser bruñida. No era fácil admirar todos los días un espectáculo como aquél; por eso todos estábamos contentos, y también por eso gritamos de entusiasmo cuando el conde fue derribado del caballo. Era culpable: un culpable que debía perder un trono, un asesino de un hermano pelirrojo y tierno que ya desde la infancia había sido el preferido de su madre, esa Almodis que, como yo, fue también repudiada. Berenguer Ramón sonrió y miró a Mafalda; ella no bajó los ojos; tomó otro melocotón del canasto y se lo ofreció al vencido:

—Mi hermano Bohemundo cuidará de ti.

Todo se hilvana, Roberto. Los que son parecidos acaban por encontrarse, y Mafalda necesariamente tenía que llevarse bien con Rodrigo; puede que fuera incluso él quien le sugiriese el modo de desembarazarse de su cuñado. En cualquier caso, el ascendiente del Campeador sobre Mafalda no dejó de crecer, y Rodrigo logró casar a una de sus hijas con el hijo huérfano de Cap d'Estopa, ese niño, ahora ya crecido, que parece haber heredado de su abuelo y de su suegro el gusto por aumentar su hacienda a costa del moro. Buen pretexto, monje: el mismo que impulsaba a Bohemundo a tomar Jerusalén o a Rodrigo a apoderarse de Valencia. Una ambición sin límites protegida por la justicia de lo alto y amparada en el «Dios lo quiere».

Mi esposo Alfonso era distinto a ellos, monje. Creía en la Cruzada, como creyó en ella mi padre al final de sus días, y había en su tozudez guerrera un cierto espíritu religioso... Yo nunca llegué a conocer a Cap d'Estopa, pero, desde la mañana en que presencié el duelo, me situé al lado de aquel que desde entonces sería llamado el Fratricida. No era hermoso Berenguer Ramón, como debió serlo su hermano, ni inspiraba confianza, pero había algo poderoso en su porte y en ese fatalismo con que aceptó someterse al juicio de Dios. Berenguer Ramón no rechazó la fruta que le ofrecía Mafalda, e inclinó la cabeza sometiéndose a un destino que parecía haber previsto; un destino marcado desde lo alto, gracias a la astucia de su cuñada y a los posibles remordimientos de mi padre.

Yo no he amado la guerra, como la amó mi padre o la buscó Alfonso, pero sobre todo he despreciado al mercenario enriquecido gracias a ella que dice aplicar la justicia en nombre de un dios que dirige su espada y a la dama que se adorna con rosarios y cruces, reza jaculatorias y exige ajorcas de oro, robadas en harenes, o lámparas de bronce, descolgadas de la mezquita.

Pero ahora, cuando el tiempo trastoca los sentidos, me doy cuenta de que Mafalda y Rodrigo no eran del todo diferentes de mi padre o de mí misma; ¿cómo puedo afirmar que no he amado la guerra? Yo, que durante veinte años apenas desmonté del caballo, yo, que combatí sucesivamente contra mi esposo, contra mi hermana, contra los burgueses gallegos, contra Gelmírez y el de Traba y contra mi hijo. Yo no buscaba ajorcas de oro, pero mi idea de Imperio fue la ajorca que me arrastró a una lucha sin descanso y los resultados que logré no han sido muy diferentes.

El hermano Roberto, si estuviera aquí, volvería a recordarme a los suyos, a sus campos esquilmados, a la tierra de nadie que crearon mis tropas.

Yo también engañé para conseguir lo que consideraba mío, más o menos como la misma Mafalda. No puse purpurina en mis ojos, ni coral en mi cuello, sino toscas lanas y loriga de metal en torno a mi pecho, pero también fui causa de la muerte de muchos, pretextando defender mi corona. Al fin y al cabo, Mafalda la quería para su hijo, luchaba por la memoria de aquel niño rubio o pelirrojo al que había amado tanto, mientras que yo combatí contra mi hijo y contra mi marido, sólo para consolidarme en el trono...

La guerra. Sitiada o sitiadora según la fortuna. Roberto, tu reina es una tramposa con buena conciencia, tan buena como la de Mafalda, aunque no saboree melocotones, ni mantenga en los labios una sonrisa helada. Aquellos hombres confiaban en mí... y yo profané el lugar sagrado y metí a mis tropas en su iglesia para doblegarles, aunque antes les había prometido que respetaría sus derechos y que defendería sus vidas. Y todo porque de pronto me convenía aliarme de nuevo con el Obispo frente a ellos, ellos que me habían facilitado la entrada en la ciudad. Yo les mentí, les dije que debían entregar sus armas porque una catedral era lugar de oración y recogimiento, y ellos confiaron.

Violar de ese modo el derecho de asilo no es más gallardo que montar un oportuno juicio de Dios, y mis hombres irrumpieron en su basílica, convertida en ratonera, porque yo lo decreté, saltándome todos los pactos.

Tuve que correr mucho aquel día; cuando se propagó por la ciudad el rumor de que mis huestes habían entrado en la iglesia, las gentes se indignaron y me perdieron el respeto. Gelmírez y yo tuvimos que refugiarnos en la torre de esa misma iglesia que acabábamos de asaltar, para buscar en ella el asilo que nosotros habíamos quebrado. Y ellos, enfurecidos, prendieron fuego a la torre, y tu reina, Roberto, tuvo que salir de allí, arrastrándose por las escaleras, medio desnuda, y fue golpeada, apaleada por aquella multitud. Si estuvieras conmigo te mostraría la pequeña cicatriz que todavía conservo en la mandíbula. Fui apedreada como la mujer adúltera, mientras el Obispo se escurría de la torre en llamas, cubierto con un capuchón, agachado y protegido por un crucifijo...

Y después, cuando logré escapar, cuando los ánimos se calmaron y una vez más les convencí de mi inocencia y de mi amor de reina por mi pueblo, me reuní con mi hijo e hice entrar las tropas en la ciudad de Santiago para castigar y humillar a los burgueses rebeldes.

Este brasero apenas calienta, y me gustaría, Roberto, tenerte aquí para que me juzgaras, para que despreciaras a Urraca, como ella se permitió despreciar a Mafalda.

No amé la guerra, pero amé el Imperio, como debió amarlo Rodrigo, y tal vez lo único que me diferencie del mercenario es que yo, por herencia, creí tener más derechos y tuve más oportunidades.

¿Y Alfonso? Alfonso tampoco era distinto de Bohemundo o quizá incluso es peor aún que él. Bohemundo buscaba riquezas, aventura y gloria, y mi esposo, pretextando fervores religiosos, lo único que buscaba y también ahora busca es el combate. No sabía, ni sabe vivir sin él, sin el peso de la espada en la mano, sin sentir los ijares del caballo golpeándole en las pantorrillas. Y, cuando por fin nos separamos definitivamente, tras el repudio público, hecho en la ciudad de Soria, «porque no podía compartir un lecho en pecado», sus arrebatos religioso-guerreros se hicieron todavía más fuertes, porque los Castanes y los Bermudos ocuparon definitivamente el lugar que yo había ocupado. La guerra era la vida para Alfonso y he oído que hasta en los métodos ha terminado por copiar a Bohemundo. Él nunca fue a Palestina, pero se la creó en su comarca a su medida, y en la toma de Zaragoza utilizó catapultas y torres de combate, copiadas de aquellas que emplearon los cristianos en la conquista de Jerusalén.

Monje, yo no he amasado el pan, ni he limpiado uno a uno los garbanzos para despojarles de su piel, ni he cosido mis sayas, ni he tejido las mantas que cubren mi cama. Estas manos sólo han sostenido la espada y han lanzado el dardo con precisión, con tanta como mi esposo cuando lo empleó contra Prado. Son manos que sólo supieron golpear el tambor, con rabia, para revivir una música guerrera. Constanza hubiera querido que yo aprendiera a bordar, y ella creaba flores en la tela, como tú las creas con tus pinceles; en tu casa, monje, las mujeres se levantan al amanecer para ordeñar la cabra, para recoger los huevos frescos, para hacer el queso y separar la manteca.

Nunca me has hablado de ellas, monje, de esas manos que tienen callo, como las mías, un callo del arado y del telar, callo en los dedos por las agujas que se hacen suaves cuando rozan la harina.

Las mías están duras de la espada y de tirar de las riendas.

Mañana, si es que subes a verme, te pediré que me acompañes a la huerta y hundiré mis albarcas en el barro. Si fuera primavera cortaríamos rosas y luego las dejaríamos secar sobre el suelo, como hacía mi madre. Ella las deshojaba una a una y, cuando estaban ya secas, las guardaba en un tarro de barro y las metía en el arcón, donde protegía las ropas. Olía siempre a campo y a mañana.

Tu reina jamás se ha perfumado como Zaida, o como la misma Mafalda, con esencias traídas de Oriente por su hermano Bohemundo, perfumes pastosos que sirvieron para conquistar a un rey niño con pelo de estopa en la cabeza.

El perfume de Urraca ha sido siempre el sudor y sus afeites el polvo levantado por los cascos de los caballos. Si supiera bordar, mis tardes en esta celda, cuando tú no acudes, serían menos largas, como aquellas tardes de Constanza, mientras mi padre jugaba al ajedrez y ampliaba fronteras. Yo aprendería el punto de cruz y combinaría los colores de las cenefas, como tú los mezclas en tus miniaturas.

Mis manos, monje, apenas saben remover el cisco con la badila y por eso hoy tengo más frío que nunca, porque tú no has venido para atizar las brasas; y no son tus caricias lo que me faltan. Tu reina está enferma de un mal que no puede curar médico alguno. Tal vez Berenguer Ramón tuvo más suerte y por eso se mostraba tranquilo el día del reto. Un reino es una carga pesada, un asunto molesto, y él aquel día logró quitárselo de encima para poder comenzar muy lejos una vida distinta.

Puede ser que no muriera; quizá en Antioquía o en Nicea consiguió tierras, ganado y mujer y renunció definitivamente a la espada.

Si yo tuviera tiempo, monje, volvería también a empezar: mecería cunas, cantaría nanas, echaría gallina en la olla y zanahorias y nabos y mezclaría la miel con la harina para hacer rosquillas cubiertas de azúcar blanco y empanadas de hojaldre, añadiendo levadura, esperando a que subiera para poner las uvas y meterla en el horno, o cogería un carnero tierno y lo sazonaría con especias traídas desde Córdoba y luego picaría las almendras en pedacitos muy pequeños para espolvorear la carne ya cocida; prepararía la lumbre y limpiaría la madera de pino para colocar los cuencos vacíos y aguardar a que ellos regresaran del campo, cubiertos de sudor y de barro. Cinco o incluso seis, seis hijos musculosos y hambrientos, contentos al devorar la comida que Urraca con tanto amor habría preparado.

Pero no es verdad, monje. Yo donde debería estar ahora es en la corte, como estará Mafalda junto a su hijo, engalanada con damascos y collares de ámbar, satisfecha por los triunfos de Alfonso Raimúndez; tocaría el salterio y cantaría canciones; recibiría la pleitesía de mis súbditos y podría ser generosa. Mi padre lo dijo aquella vez; «tú nunca serás como ellas...».

El brasero está casi apagado y la luz del candil apenas me permite ver... No hagas caso a tu reina, Roberto. Me queda la escritura.

XV

El hermano Roberto se emociona cuando comento la lluvia de estrellas de aquel año de 1095.

—Arde el cielo y se junta con la tierra; desciende la estrella, como en la tumba del santo.

No una, sino miles. Miles de estrellas descendiendo, anunciando, calentando la imaginación de cientos y cientos de desharrapados. Los hombres, lo sé bien, necesitan creencias, quieren milagros, y yo no he sabido utilizar adecuadamente aquella aureola que Poncia inventó para mí. Yo, la elegida en aquella barca de piedra.

Alfonso conservaba una cierta ingenuidad de niño y su cara se iluminaba cuando oía el relato que le hizo Esteban al regresar de Jerusalén o al escuchar a Pierre de Tours detenerse en los detalles.

Pierre adornaba la historia con pinceladas mágicas que estremecían a Alfonso y le hacían anhelar nuevas cabalgadas.

—¿Comprendes? Los muros de la Jerusalén sagrada.

Y Alfonso suplía sus ensoñaciones con nuevas correrías cerca de Zaragoza.

Pero una cruzada cotidiana no ofrecía las mismas compensaciones: los nombres eran demasiado conocidos, los reyezuelos que intervenían se parecían demasiado a nosotros mismos. Alfonso hubiera querido realizar el viaje que Berenguer Ramón fue obligado a emprender.

Roberto me pide que hable. Sus dibujos se llenan los últimos días con esplendores apocalípticos, como si el eco de la Jerusalén que le transmiten mis relatos se alumbrara de colores y de figuras inquietantes, donde se manifiesta su repentino arrebato místico. Antes, durante el primer año, le fascinaban los temas marianos y se empeñaba en plasmar en sus pinturas, bajo un confuso manto de símbolos, la que consideraba la Mujer por excelencia, la virgen que no podía ni debía tocarse. Era él entonces quien me explicaba a mí sus confusas interpretaciones teológicas, quien me hacía admirar bajo la apariencia de una zarza ardiendo, en la que el dios Javhe se aparece a Moisés, una mistérica manifestación de esa María incandescente y amantísima, que se consumía en amores insaciables por lo que él llama el divino espíritu... o esa vara de Aarón que, abandonada sobre el arca, da flores y frutos, como María dio a luz sin que su himen se viera afectado... o esa puerta extraordinaria que Ezequiel contemplara cerrada y a través de la cual pasó el rey, alegoría donde Roberto volvía a ver el virgo intocado y sin mancha, nunca roto, de aquella que dio a luz sin conocer varón.

Era bueno escucharle. A veces discutíamos y, mientras él intentaba explicarme sus dibujos, surgían las imágenes donde el cuerpo de la mujer, yo, Urraca, se revestía con la fascinación por la doncella, a través de esa Virgen a la que daba distintos rostros, a la que veía en las manchas de las paredes, en las sombras del claustro.

—Ves —decía—. Ella está aquí también —y yo intentaba seguirle en su alucinación, mientras miraba las llamas espigadas, fuertemente amarillas y rojas, punzantes como lenguas de fuego, acariciando el cuerpo de los tres mancebos, que conservaban los ojos muy abiertos. Y él, paciente, me explicaba la leyenda de Nabucodonosor, el malo, que mandó abrasar a los tres jóvenes en el horno. El relato era para mi monje una manifestación más de la pureza intacta de María fecundada, abrasada por el amor del Espíritu, arrebatada por las llamas de un fuego purificador, fuego amoroso que no roza la carne... o era Daniel entre los leones, alimentado, a pesar de los guardianes y de los muros, por Habacuc, quien encarnaba el regazo de María que recibía a Cristo sin necesidad de abrirse ni ser mancillado.

Pero la imagen que más le seducía y le arrastraba a amorosas descripciones era la del unicornio. Una y otra vez lo incluía en sus dibujos; le turbaba ese animal con el cuerno quebrado que sólo podía ser apacentado por el regazo de una doncella. Ese unicornio, contaba, era Cristo, pero era también —yo lo sabía— él, Roberto, acunado en las sayas de la que tanto deseaba: la madre, el cuerpo femenino. Yo, Urraca.

Roberto había comenzado a pintar bajo la tutela de Pedro, un monje que había trabajado en el monasterio de Silos. Sus dibujos conservaban la tensión, los mismos ojos desorbitados, los movimientos retorcidos que aprendiera de su maestro. Le complacían las cenefas intricadas, donde animales y hombres se entrelazaban formando un universo irreal y cargado de sugerencias.

Pero sus impulsos marianos han dejado paso a un antiguo fervor por lo maravilloso, desde que el cuerpo de la doncella se ha aproximado y puede penetrarse. Por eso tiene preferencia por todo lo que tiene relación con esa vía Hiersolymitana que a él también, como a Alfonso, le hubiera gustado recorrer.

Yo recordaba y recuerdo para él la historia que me contó Pierre de Tours, y él se sienta a mi lado y aguarda.

Bohemundo y Tancredo... dos primos, dispuestos como Rodrigo a llenar sus arcas. Pierre les había conocido en sus tierras de la Apulia, ese mismo año de 1096 en que Mafalda sometió a juicio a su cuñado. Los dos primos debieron ver en aquellas mesnadas de hombres harapientos una provocación que hacía hervir su antigua sangre normanda. En poco tiempo reunieron un ejército que, según Pierre, reunía unos diez mil jinetes y veinte mil infantes.

Puedo ver a aquella multitud hambrienta, desembarcando en el Epiro. Puedo ver también el miedo y el estupor de Alexis, emperador de ese reino llamado Constantinopla. Pierre hablaba mal de él y le atribuía un espíritu comercial, contrario a la magna empresa. Parece que Alexis, aterrado ante la llegada de las tropas de Bohemundo y Tancredo, desplegó un ejército de fieles servidores que se encargaba de enderezar a las tropas cruzadas, cuando, con demasiada frecuencia por otra parte, se desviaban del camino trazado previamente.

La obsesión por la cruz. Yo la conozco bien, como conozco la fuerza del *Deus lo volt*. Al fin y al cabo soy hija de mi padre y mujer de Alfonso. Los hombres necesitan símbolos para morir y, cuando los tienen, cantan.

Bohemundo y Tancredo cuidaban las formas: hicieron colocar cruces de hierro y de madera sobre estacas, y con ellas dirigían a esa multitud de desharrapados.

Nicea, Dorilea... Sonoros nombres que en boca de Pierre de Tours se hacían musicales y nublaban la sensatez de Alfonso.

—Dos hermosos guerreros, vestidos con coraza blanca dirigieron las tropas en el largo asedio; eran dos emisarios del altísimo que supieron dar confianza y moral a una hueste cansada.

Fatigada y muerta de hambre. Fue importante el botín, contaba Pierre, y difícil evitar que aquella primera ciudad fuera asediada y saqueada.

—Pero sólo fueron quemadas las casas de los herejes, porque el Imperio de Alexis está plagado de ellos. Gentes que tienen el demonio en el cuerpo: paulicianos, bogomilos... Todos merecen ser quemados.

Piras en nombre de una fe que alentaba a una muchedumbre sedienta. La descripción de Pierre se hacía apocalíptica, y mi relato ahora para el monje intenta describir la larga caminata a través de valles áridos y secos, cuando los animales fallecían en el camino o los halcones morían de sed en el puño de sus amos.

Perros y caballos famélicos, caballeros sin montura, mezclados con la masa sin color de los infantes descalzos y apenas cubiertos. El hambre.

—Muchos habían fallecido en el camino —contaba Pierre—, y otros muchos querían abandonar. Los víveres escaseaban y apenas teníamos con qué taparnos. Todos esperábamos impacientes alguna señal del cielo.

Y el cielo habló en forma de resplandor luminoso, sobre los muros de la vieja ciudad de Antioquía. Hubo, parece, movimientos terribles de la tierra, temblores que encogieron los corazones, y aquella luz ardiente sobre las torres de la ciudad inexpugnable. Era el día penúltimo del año de 1097 y entonces, ante el milagro, volvieron a hablar los profetas y la promesa de glorias terrenas y riquezas se vio rematada por el miedo a las alturas.

Pierre de Tours temblaba cuando llegaba a este punto. Yo contemplo al hermano Roberto y bajo el tono de mi voz para situarle en el momento del espanto, donde todo fue posible. Para mi monje la vida se reduce a una incansable lucha entre el cordero y el dragón. Pero ignora que ese cordero tiene a veces fauces de fuego y de miseria. Todo está permitido, si dios lo quiere, parecía decir Pierre de Tours, mientras narraba, como pidiendo disculpas... todo está permitido y hasta el mismo Alfonso, endurecido sobre el caballo y contra el infiel, tembló aquel día al escuchar la historia de Pierre.

—Era un atardecer, un atardecer de esos rojos que sólo pueden contemplarse en las costas del Asia Menor. El mar ardía, como si el fuego del cielo contaminase las olas y las encendiese. Teníamos miedo. Bohemundo estaba nervioso; sabía que tenía que aprovechar aquella señal, aquel impulso. Pero nos faltaban medios y había demasiada hambre.

El hambre asolando también mis campos de Castilla y León. Yo también he visto a mi pueblo, despojado por los caballeros pardos y las tropas de mi marido, acorralado por mis propias tropas, temblar de hambre y de frío. Sé bien hasta dónde puede llevar el «dios lo quiere». Por eso me duele ahora, cuando recuerdo el relato de Pierre e intento transcribir al hermano Roberto todo el horror de aquella tarde, bajo aquel crepúsculo rojo.

—Tenías que haberles visto —continuaba Pierre—. Eran como diablos; yo quisiera no haberles conocido y además sabía que, en cualquier momento, podrían volverse en contra nuestra. Pero eran los más fuertes, los más resistentes, los mimados de Pedro el Ermitaño y todos en el campamento les temíamos, porque imponían respeto. No parecían humanos.

Tropa de desheredados, salidos del infierno. Caminaban descalzos y se alimentaban de raíces. Su rey, Tafur, llevaba los cabellos largos y sucios y se confundían con su tosca capa de cordero.

—Era extraño. Cuando reía, parecía que la tierra se tambaleaba. Tenía un curioso poder sobre aquellos hombres, educados para el saqueo. Ellos eran nuestra vanguardia... con la que siempre podíamos contar. Eran hombres sin alma, que no tenían nada que perder, ya que ni su vida les pertenecía.

Tafures famélicos y fanáticos a las puertas de la ciudad de Antioquía. Dios lo quiere, y siento una arcada al relatar la historia que una tarde contó para nosotros Pierre de Tours:

—No es sencillo de explicar. Ellos, es verdad, tenían hambre, y aquella ciudad no se podía tomar fácilmente. Sólo nos quedaba retroceder y si se producía la huida, la desbandada, todo el proyecto se venía abajo.

Le costaba hablar a Pierre, él que había regresado a la Galia con Bohemundo y le había acompañado, cuando desde las gárgolas de la catedral de Chartres arengaba a las masas, para animarlas a una nueva empresa; él, Pierre de Tours, vacilaba, como yo me detengo al contárselo a Roberto.

—Truhanes y bribones. Pero el rey Tafur y los suyos eran, sin embargo, nuestra mejor ayuda. Dios lo quiso.

El fin y los medios. Ese es un lenguaje que conocía perfectamente mi padre y que yo aprendí a su lado. Creo haberlo dicho ya antes; a una reina le está todo permitido para conservar lo que le pertenece. ¿Todo? Quizá hay todavía una diferencia entre una reina y Dios. Dios lo quiso, contaba Pierre y a él también se le empañaban los ojos:

—Era un crepúsculo rojo como la sangre. Cerca de los muros de la ciudad de Antioquía yacían los cadáveres de los turcos que habían caído en el último choque. No eran muchos, unos treinta hombres desparramados por el suelo. Fue, dicen, Pedro el Ermitaño el que dio el permiso. Otros piensan...

Hay que resistir como sea, si la empresa es ambiciosa. Algo así debió pensar el Monje de los hambrientos cuando dio su beneplácito. Los ojos de Roberto se abren como en los dibujos de sus miniaturas, cual dos almendras asombradas. Eso no es posible.

Pero sí fue posible. Hombres comiendo hombres; hombres buitres devorando carroña ante las torres altivas de la ciudad de Antioquía. Si un cristiano va a morir por hambre, debió razonar el Ermitaño, ¿no es justo que se alimente con la carne del infiel?

Suda mi monje al escucharme, y yo presiento los terrores de sus próximas pinturas, el paroxismo de sus gestos retorcidos, su pincelada nerviosa. El hombre come al hombre porque Dios parece quererlo bajo los muros de la Ciudad Santa, aquella que fundara San Pedro. Manjar de dioses. Los tafures eran gente ruda, decía Pierre, pero no necesaria.

Luego, cuando Bohemundo consiguió, gracias a la traición del armenio, romper el cerco de Antioquía y penetró al fin en la ciudad en el verano caliente del año 1097, aquellos diablos entraron a saco en las viviendas con el consentimiento de sus caudillos.

—Doscientas cabezas fue el trofeo que se depositó ante las tiendas de los enviados por el califa de Egipto. Fue un día alegre; los hombres hasta entonces semidesnudos pudieron cubrir sus cuerpos con sedas de Damasco y calzar sus pies doloridos y llenos de llagas con chinelas de cuero repujado. Algunos se pusieron hasta cinco o seis túnicas, unas encima de otras, para compensar todo el frío acumulado en aquella interminable travesía. Pero fue una victoria breve. Se había ganado la primera batalla junto al lago y, en cambio, la ciudadela seguía resistiendo. Entonces apareció el ejército de Kerbogath, el emir de Mosul. Nuestros hombres, entre dos frentes, estaban perdidos.

La huida, el pánico; los sitiadores, sitiados a su vez. Pierre tenía razón y cualquier jefe lo sabe: había que devolver la fe y el entusiasmo; había que recurrir a los milagros. Las reliquias sirven para unir, crean senti-

miento nacional. Los himnos y los cánticos, el misterio...
Un rey debe saber utilizar todos esos elementos como mi
antecesor supo hacerlo: una estrella que brilla en el valle,
cerca de la ría de Padrón... una estrella que revela el escondite de un cuerpo santo. El campo de la estrella.
Gelmírez vive todavía de las ganancias que aquel hallaz-
go oportuno le proporciona... Los milagros, la gente
quiere milagros.

Pierre al relatarlo se mostraba vacilante, pero yo
ahora, para Roberto, anulo cualquier duda, porque él
también necesita milagros. A veces me lee los comentarios del Beato y sé que es de ahí de donde brota su inspi-
ración, de los monstruos que han de venir, de los sucesos
sorprendentes. Por eso templo mi voz cuando le descri-
bo el descubrimiento:

—No fue un pastor como en Compostela, sino un campesino de Provenza, llamado Pedro Bartolomeo. Se le apareció San Andrés y él se presentó ante el conde Raimundo de Tolosa para decirle que sabía el lugar exacto donde
se hallaba la Lanza que atravesó el costado de Cristo.

Un pobre campesino elegido para salvar a un ejército
de ladrones, que había perdido la moral.

—Estaba en la cripta de la iglesia de San Pedro
—continúo, y Roberto se concentra en el relato y asiente, como si esa historia ya la hubiera él sabido desde
siempre.

Lanza encontrada cuando más falta hacía; pendón
victorioso que podía reanimar a unas tropas cansadas.
Una lanza o un «Santiago y cierra España»; un caballero
misterioso, descendido de las alturas, todo vestido de
blanco.

—Bohemundo pudo enfrentar sus tropas a las de
Kerbogath; ya no eran hombres, sino iluminados los que
combatían.

Y lo demás se dará por añadidura; los ojos ven siempre lo que eligen ver:

—Hubo quien dijo —terminaba Pierre su relato— que de la montaña descendieron innumerables guerreros, montados en caballos blancos. Y al fin comprendimos que eran tropas de socorro, mandadas por San Jorge, San Mercurio y San Demetrio.

Mañana Roberto intentará transcribir con sus pinceles esa escena guerrera llena de blancos y sé también que incluirá a su Santo, el que cabalga sin descanso frente a los moros, montado él también en un corcel blanco como la luz. Una lanza gloriosa, encontrada a tiempo, hace olvidar un festín de cadáveres. Y a veces también los muertos sirven; también ellos pueden convertirse en estandarte, en lanza. Jimena supo comprenderlo, cuando hizo montar el cuerpo rígido de Rodrigo sobre un rocín con gualdrapa de plata.

Tal vez acertaba Gelmírez, cuando reprochaba mis vacilaciones. Una reina no puede dejarse conmover; debe contar con tafures y con lanzas maravillosas, y yo apenas supe aprovechar el escenario que Poncia montó para mí.

XVI

Fue Cidellus, el médico judío de mi padre, quien me contó la historia de David y la tela de araña: nunca hay que despreciar a los pequeños, ya que, llegado el caso, pueden ayudarte.

Roberto es para mí esa araña que teje la tela protectora a la entrada de la cueva y, aunque no hay Saúl del que deba esconderme, sé que en él reside mi única esperanza.

Y, sin embargo, desde hace tiempo ya no pienso en la huida; quizá lo que aguardo se reduce tan sólo a que día tras día él regrese a mi lado y a las largas conversaciones que mantenemos en aquellos momentos en que me olvido de mi crónica. A veces pienso que escribo esta historia para mí misma; que nadie, ni juglares ni poetas, la repetirán por los pueblos y las cortes. Pero, cada vez más, necesito contar.

Si estuviera conmigo el propio Cidellus podría prepararme un bebedizo, de esos que reconfortaban a mi padre, para devolverme las fuerzas. Era un hombre sabio, Cidellus, y grata su imponente figura de patriarca en aquellos días en que me permitía acompañarle a su casa y me mostraba sus frascos y sus retortas.

Pinchaban penetrantes sus ojillos de alquimista y se ponía serio y concentrado, cuando en voz baja me detallaba los diferentes caminos para alcanzar la sabiduría.

Era una jerga extraña que yo entonces apenas entendía. Sin embargo, a él también le debo un cierto orgullo de ser yo, Urraca, universo en miniatura, microcosmos que reproduce o es, de algún modo, el todo. El hombre es la cara reducida de la totalidad, decía Cidellus, un dios en miniatura, hecho a imagen y semejanza de su grandeza. El hombre es así esa misma grandeza.

Cidellus no despreciaba al cuerpo, como dicen despreciarlo, aunque luego lo mimen, todos los frailes que me rodean. Él lo cuidaba; el cuerpo era el rostro de ese Dios que, contado por él, se eclipsa en el hombre. Tú eres Urraca, singular, única. Es la forma la que determina como tal, pero ni la materia es despreciable ni el cuerpo condenable. Y tu forma es la voluntad, como la voluntad es el fundamento de la forma divina.

—La letra y el número encierran la energía. El poder de la letra puede conjurar la enfermedad; pero el hombre dispone de las manos y además del conocimiento.

Ahora aquí, en mi celda, con la pluma y el papel aplico a mi manera los consejos que Cidellus me dio entonces, cuando me adoctrinaba para que pudiera llegar a alcanzar el grado perfecto del *hasid*.

—El hombre tiene ante sí dos sendas; una es la búsqueda del Principio; la otra la combinación de las letras. El verdadero dominio, Urraca, no se ejerce sobre los hombres, sino sobre las letras.

Era una sencilla receta la que me daba el médico judío; siéntate a la luz de un buen candil, apártate del exterior, cierra las puertas y ventanas y delante del papel vacío juega con las letras, mézclalas, permútalas, trastócalas, hasta que tu corazón se exalte y, cuando te des cuenta de que de esa combinación surgen cosas nunca antes dichas ni sabidas, cosas que jamás hubieras podido conocer gracias a la tradición, concentra tu mente y permite que fluya la imaginación. Y muchas cosas entrarán en ti, gracias a las letras combinadas...

Pero no eran estas palabras las que me interesaron cuando era niña, sino aquellas otras que repetía también Cidellus: sé intrépida como el leopardo, veloz como el ciervo, ligera como el águila y fuerte como el león. Eran preceptos que me parecían propios de mi condición y de mi herencia, aspiraciones que encajaban con mi voluntad de gobernar.

Y ahora sé que mi crónica es escritura y la escritura me devuelve cosas nuevas, nunca dichas: concentra tu mente, mezcla las letras, trastócalas.

Se combinan las letras, como se mezclan los recuerdos, como aparecen los rostros, quebrando el orden del relato. Cada nombre trae aromas, ruidos, conduce sensaciones... Cidellus, el viejo incrédulo, respetuoso de la tradición, al que entonces apenas escuché. Su lucha contra los caraítas fue utilizada por mi padre, que le nombró *nasi* de todo el reino de Castilla. Los caraítas resultaban peligrosos, ya que desconfiaban de la autoridad y pretendían basarse únicamente en el texto sagrado, y mi padre vio con claridad que un rabí que interpreta y dirige siempre es más útil y manejable que doscientos judíos o cristianos enfrentados al texto bíblico y a su propia conciencia. Cidellus le apoyó en esa lucha, pero Cidellus era un escéptico; prefería la tradición, porque ésta protegía a las gentes de su aljama.

—Corren tiempos malos, Urraca, tiempos malos para nosotros; antes o después nuestra sangre volverá a correr. No todos los reyes cristianos son tolerantes como tu padre.

Era cierto. Raimundo de Borgoña, por ejemplo, nunca entendió la política que él pretendía aplicar, y menos la comprendían aún los que llegaban del otro lado de los Pirineos, como el mismo Pierre de Tours.

Pierre había presenciado y participado en la quema de las Juderías de muchas ciudades de la Macedonia, y no podía admitir que nosotros respetáramos a los judíos y que ellos colaborasen activamente en los planes guerreros de mi padre. Opinaba que un monarca, en vez de recibir préstamos del infiel, debía comenzar por confiscar sus bienes.

Pero Cidellus tenía razón; corren tiempos malos, tiempos de intransigencia, y es posible que sea mi propio hijo quien, alentado por Gelmírez y los que le rodean, olvide el respeto hacia esos hombres que, de buen grado, aceptaron quedarse en tierras de Toledo. Mi hijo no ha crecido como yo, acunado al mismo tiempo por el sonido de las campanas de la catedral y los cantos al atardecer del almuédano en la mezquita, ni se ha sobresaltado ante el bramido del sofar que resuena como un lamento el día de la fiesta del año nuevo, el ros hasanah...

Los fieles deben ser congregados; pocos rezan si no se les anima, si no se les recuerda que el momento del Ángelus ha llegado. Hay que marcar el ritmo de las horas, dividir el tiempo, para que el hombre se sienta a gusto consigo mismo, para que recuerde que el día no le pertenece... Campanas repicando por todos los rincones del que quise mi Imperio; campanas doblando a muerto, celebrando el día de la coronación de mi hijo, tocando a maitines al amanecer, llamando a rebato cuando el peligro acecha.

En Toledo los hombres se postran al caer la noche, al oír la voz cantarina y monótona que los invoca. No hay más Dios que Alá. Las frentes tocan el barro y el fango de las cloacas; todo se olvida para el rezo, mientras aquí,

en este monasterio, los monjes se recogen para la medi-
tación y dejan correr entre los dedos las cuentas del rosario. Hay que pedir; los hombres aman la súplica.

Cidellus, un día en que me llevó consigo al matroneo
para que, junto a las mujeres, presenciase los ritos de la
Sinagoga, me advirtió:

—No es Dios quien mora en la Sinagoga, Urraca,
está la Ley, el Libro. Uno no debe postrarse ante el libro.

Pasaba el cortejo de los penitentes por tierras gallegas y yo, escondida tras los fresnos, contemplaba los
cuerpos castigados de los flagelantes. Tapaba mis oídos
para no sentir el chasquido de los látigos sobre la piel,
los ayes, hilvanados con los rezos; cubría los ojos que
creaban formas en las manchas de sangre, que salpicaban
las piedras del camino.

—¡Perdona a tu pueblo, oh, Señor, perdona a tu
pueblo!

Días de cuaresma, destinados al ayuno y a la refle-
xión. El cuerpo es la imagen pequeña de Dios, repetía
Cidellus, no hay que castigarle; y yo recordaba aquellas
llagas en las plantas de los pies, la carne lacerada.

—También Él sufrió —dice el hermano Roberto, y
se transfigura al presentir cilicios y penitencias—. Él
dejó que traspasaran su costado; derramó por nosotros
hasta su última gota de sangre.

La senda de Compostela, bañada por la sangre de los
pies descalzos, el camino fatigoso, interminable, hasta La
Meca. La tierra, Urraca, es un valle de lágrimas... el láti-
go, los ojos grandes muy abiertos, como en las miniaturas de mi monje... la súplica, el castigo, los milagros... los
hombres buscan el castigo.

Puede ser que esa lección debiera haberla aprendido
una reina, y yo, sin embargo, nunca soporté el dolor; ni
el mío, ni el ajeno. Y ahora, cuando el tiempo ha trans-

currido, añoro los ojos calmos de Cidellus, aquel saber que quería compartir.

—Sólo el dolor da la medida de la culpa —decía Gelmírez.

Yo sé muy bien que el Obispo desconfiaba del carácter divino de las pruebas testificales, pero una jerarquía no puede desmentir a su cargo.

—Si eres suave con ellos, se rebelan; por algo Dios nos legó el hierro.

Yo, aquella primera vez, tuve que apartarme, ante la mirada reprobadora de mi padre. No tendría entonces más de seis años. El hombre había robado dos gallinas y alguien le acusó. Pero él se empeñaba en declararse inocente. Cuando introdujo su mano en el agua hirviendo, gritó como gritan los cerdos al sentir en el cuello el filo del cuchillo. Aquel alarido resonó durante mucho tiempo en mi miedo, como una protesta.

—Hay que atar la mano con vendas blancas; si la herida cicatriza, el hombre es inocente. Si se pudre, demuestra su culpa.

Ojo por ojo, diente por diente; si tu mano peca, córtatela.

Algo te pasa, Urraca... Quizá las largas conversaciones en solitario y con tu monje remueven antiguos principios y todo se confunde. Los dioses son crueles y tú, Urraca, te crees por encima de Dios. De hecho, nunca le necesitaste, como tampoco pareció necesitarle tu padre, aunque en sus últimas horas recurriera a él; como no lo necesitó Gelmírez, a pesar de que afirmara trabajar en su nombre. Pero los hombres necesitan dioses, los inventan, los miman; dioses que son su tela de araña, su esperanza, como mi esperanza ahora eres tú, Roberto, el que debe abrirme las puertas.

—Dios está en todas partes —le digo, y como si quisiera escandalizarle, para calentar su imaginación, repito historias que escuché de niña:

—Mahoma utilizaba como *quible* el lecho de Aixa. Su dios, Roberto, ama el amor; dicen que el Profeta tuvo quince mujeres y cada noche complacía a una distinta. ¡Tal era su potencia!

Se anima el fraile con mis palabras, que considera reproche; no hay demasiados momentos para el encuentro; la fuerza de Mahoma es un desafío, y el monje lo reviste de condena:

—Es un falso profeta. Sólo hay un único Dios —repite para sí—, ellos son los infieles y mienten. Hay que combatirles.

Y yo presiento en el rojo de su cristalino ardores de Guerra Santa. «Hay que quemarles; el mal hay que purificarlo con el fuego.»

Quemarles a todos con el fuego purificador. También ellos, Roberto, tienen su *gehena;* también ellos sueñan con un fuego que ha de redimirles. Siete puertas tiene ese horno, crematorio sin fin, donde las carnes se chamuscan. ¿Imaginas las formas del diablo? Iblis, el rebelde, ax-Xaitan, Satanás. El bello Lucifer que se negó a arrodillarse y por eso se postran ellos al anochecer, porque el Otro, el maligno, se negó a hacerlo. Pecado de orgullo, le llaman.

—Es un ser repugnante —le digo—. También Iblis lo es. Se parece mucho, demasiado, a Satanás —le explico—. Dicen que tentó a Eva en forma de animal cuadrúpedo, una rara serpiente que todavía no reptaba. Grande, terrible... ¿Sabes lo que ofrecía? Ofrecía también el Árbol de la Vida, el Árbol de la Ciencia del Bien y del Mal. La Eternidad y la Sabiduría, las dos cosas que buscaba Cidellus en ru retorta.

Yo también hubiera probado de aquel fruto. No es

tan malo Iblis para nosotros, monje; para ti y para mí no sería tan malo. ¿Sabes que él creó el vino, ese vino blanco, ácido, que tú tomas todos los días cuando dices beber la sangre de tu dios?

Tiembla de miedo, Roberto, y vacila entre los nombres.

—Hay castigos terribles en la *gehena* —insisto—, castigos que tú y yo apenas podemos imaginar. Allí los demonios, al servicio de Malik, velan para que el fuego no se apague, para que la llama siempre viva no deje de cumplir su cometido. Cuando las pieles crepitan, cuando el cuerpo se deshace, convertido en carbón que pronto será ceniza, Malik y los suyos las renuevan para que vuelvan a tostarse.

Si la mano que se introduce en el aceite o en el agua hirviendo cura sus quemaduras, el hombre demuestra su inocencia. Tenías que haber escuchado aquel grito, Roberto, tenías que haber visto el espanto en aquel rostro. Era apenas un crío, y mi padre no comprendió que yo, su hija, no fuera valiente y tuviera que apartarme. ¿Presenciaste, tú, monje, el castigo del tuyo...? Era el Juicio de Dios y dios, Roberto, dicen, no puede querer el Mal. ¿Lo has pensado muchas veces? Sí, porque sé que ese mal es el que azuza tus sentidos y despierta tu inteligencia; es el Mal el que te inspira. Lo veo en tus dibujos atormentados, en los cuerpos retorcidos que dibujas, en las llagas purulentas de los peregrinos, a las que das rojo y morado, en la cara sonriente y estúpida de tus diablos. Las mil formas del maligno.

—Pero también ellos, Roberto, también esos que tú llamas infieles esperan la llegada de la Bestia. Su Anticristo estará formado, como el tuyo, con fragmentos de extraños animales, pero llevará en la mano la vara de Moisés y el sello de Salomón. Será tuerto y estará marcado con una K en la frente; también ellos tienen sus infieles. Kafir, Roberto, quiere decir infiel.

¡Cuántas historias se amontonan! ¡Cuántas palabras! Todo lo que aprendí y apenas tuve tiempo de meditar. Una reina sólo piensa en su posibilidad de Imperio. La Bestia para mí, Roberto, mi Anticristo era el que debía despojarme de lo mío. Y, sin embargo, todo lo que oí a moros y cristianos vuelve a esta celda y me rescata el ritmo de las palabras, quizá porque tu paciencia para atenderme me descubre la hermosura de la letra. Las letras que, según decía Cidellus, debo mezclar.

El sentido del libro, su importancia. Este es mi Juicio Final, un Juicio a la manera del que esperan esos que para ti siguen siendo infieles. Por eso aquí sobre la mesa están los libros. Lo que está escrito; a la derecha y a la izquierda. No hay que esperar el Día en que se enrolle la Tierra como se enrollan los rollos de los libros, el día en que los niños tengan cabellos blancos y los hombres sean como mariposas esparcidas, cuando llegue la Hora, el fin de los Tiempos, porque mi Hora está aquí. Soy yo la que determino el fin de lo que vendrá. No hay más bestia que la que nos acecha en cada momento, alentada por el repicar de las campanas. Mi Hora está próxima, lo sé, como lo supo mi padre el día en que, olvidado de su imagen, temía por su obra.

Pero yo no aguardo arroyos de leche y miel. Ese en el que creen ellos, es un Paraíso para hombres, un paraíso pobre, destinado al goce de los sentidos. En ánforas de plata beberán jengibre y estarán atendidos por hermosas huríes de ojos negros y profundos, ojos pintados con kohol, como el que utilizaba Zaida para engatusar a mi padre con sus ojos grandes de vaca tierna... Cuerpo perfumado de Zaida con esencias de áloe, de musgo y ámbar. Cuerpo que buscaba mi padre, para beber del estanque de la gracia... También él debía soñar, aunque cristiano, con un paraíso donde cien Zaidas vertieran ambrosía en copas de oro. Huríes eternamente jóvenes, junto a donceles tostados vestidos de seda verde.

El Paraíso que Cidellus me prometía, en cambio, estaba aquí en la Tierra. Él hablaba de la Inmortalidad pero no para después, sino para ahora, con este cuerpo, estas venas, esta sangre, estos músculos, y yo debía haber dedicado mis días a conseguir el elixir.

¿Sabes, Roberto? Ellos, mi hijo y el Obispo, me acusaron también de brujería. Querían implicar a Poncia y, sin embargo, no fue Poncia sino Cidellus quien me proporcionó una vía para el conocimiento que yo, perdida en los asuntos del reino, no supe aprovechar.

Es curioso: también Cidellus confió en mí, como Poncia. Yo era, o podía ser para él, el símbolo encarnado de esa Emperatriz que es, de algún modo, la expresión del poder evolutivo de la materia fecunda. El tercer símbolo de la baraja. Pero, cuando él me pedía: «Piensa en la emperatriz y en lo que representa», yo no podía pensar más que en mis tierras y en mis hombres. Sólo ahora, cuando ya es demasiado tarde para que yo dedique mi tiempo a la Obra, interpreto sus palabras y comienzo a comprender los símbolos y las metáforas que el viejo médico utilizaba con prudencia.

Hoy me encuentro bien, y es bueno tenerte aquí conmigo para contarte las cosas que yo nunca me he contado a mí misma. No son mi hijo, Pedro Froilaz, Gelmírez o mi esposo quienes vuelven, sino aquella antigua fe del médico que hablaba palabras entonces incomprensibles y que ahora recreo bajo una luz completamente nueva.

El Paraíso en la Tierra...

Una vez Cidellus me llevó a su taller. Hervían pociones en cacharros de cristal y en el atenor maduraba la Obra. Cidellus estaba convencido de que podía llegar a encontrar la Piedra. Aquella mañana habló mucho:

—Hay que morir, para resucitar purificado.

El mercurio pasivo se une con el azufre que da la fuerza gracias a la sal poderosa y nace el andrógino purificado que supone la unión de los contrarios. Yo, Urraca, emperatriz, mujer y hombre. En el Espíritu se da la fusión que Cidellus pretendía encontrar en su retorta. Yo seré, pensaba entonces, sin darme demasiada cuenta, esa encarnación que tú buscas. Yo, Urraca, entendía los discursos del médico en sentido literal, si él hablaba del andrógino, me decía a mí misma: «Yo seré ese Andrógino, ya que no de cuerpo, sí en espíritu y voluntad.»

Nunca me interesó la Piedra para lograr el oro que yo, como mi padre, podía obtener con mis ejércitos. Pero sí el elixir, la tarántula que debería permitirme permanecer para siempre.

No hay Paraíso más allá de esto, me gustaría contarle al hermano Roberto, pero él sueña con ejércitos de tronos, serafines y querubines; con una pléyade de seres angélicos, rodeando a aquél que es el único señor. Roberto tampoco podría entender el discurso de Cidellus, pero no como yo, porque todo discurso lo remitía a mí misma, sino porque su Paraíso ha de ser un espacio representable en dos dimensiones coloreadas; debe tener rojos y azules, dorado y negro y en el centro ha de estar el Padre con esa mirada que todo lo abarca.

Yo soy el que Soy y el que no puede no ser. Ese también fue mi lema. Cidellus me habló del alma doble de todo ser humano, la que refleja los atributos del dios: los *sefirots,* sonora palabra que me planteaba un desafío. Los atributos de Dios no eran para mí sino los atributos de una soberana: ¿Quién sino yo habría de soportar la *corona?* Yo, que unía o me proponía aunar la inteligencia a la belleza, la severidad a la misericordia. El trono, la gloria y la dignidad real se me darían por añadidura. Y yo sería la causa, porque, ¿quién sino el rey puede ejercer su voluntad, por encima de los deseos particulares? Sí, ahora puedo recuperar aquellos signos que Poncia y Cidellus trazaron sobre mi infancia.

—Tu propio nombre, Urraca —me recordaba Poncia—. Cuando la urraca vuela, los cielos son benéficos; si yace en el suelo, mal presagio.

Y ahora yo estoy aquí porque ellos han cortado mis alas. Mal presagio para el reino, pero sobre todo para mí, Roberto. Una urraca debe volar. Yo soy el azufre y el mercurio, yo, la reina. Lo pasivo y lo activo, la luna y el sol. Y no hay que recurrir a la mandrágora, la planta que Poncia recogía al anochecer para preparar sus conjuros. Mi nombre es Gimel.

Pero mis palabras no le gustan al monje, que empieza a creer que su reina delira. Él prefiere que le hable de demonios y de huríes. No de la Letra. Prefiere que vuelva a describir el Paraíso coloreado donde los justos se posan, bajo la forma de verdes pájaros, en candelabros de oro. Sólo Dios es inmortal, Urraca, parecen reprocharme sus ojos. Y su confianza y su veneración ceden paso al miedo. Soy para él la diablesa del desierto, la que detiene a los hombres y les fascina; soy *dhul* a la que hay que combatir y me mira como se mira a la serpiente a la que hay que aplastar la cabeza.

—Mi reina —dice— no debe apartarse de sus fines, debe terminar su crónica —y yo asiento y le ruego que me deje sola para concentrarme de nuevo en esta escritura que es revelación y descanso. Al salir, se vuelve hacia mí y todavía pregunta:

—¿Era muy hermosa Zaida?

XVII

El frío..., el frío, enrojeciendo mis pies, endureciendo mis manos; esta punzada en el pecho que, desde hace unos días, apenas me permite respirar... Ahora debiera hallarme en aquellas tierras cálidas, en aquellos salones cubiertos de alfombras y tapices que Zaida describía a su hijo. Tuyos serán jardines y arrayanes, prometía Zaida, y Sancho reía, como debió reír mi hijo en las rodillas de la mujer del de Traba.

Sancho, ¡un niño con los ojos tan negros como los del profeta! La batalla es dura y, entre los remolinos del polvo, los ojos asustados del niño parecen presentir la lanza que ha de rasgar la carne. Sancho murió en Uclés; quizá estaba escrito y ahora yo siento frío, tanto como aquella mañana en Muxía, sobre la barca de piedra.

Puede ser que esta punzada sea preludio de la Hora, que Sancho ni siquiera tuvo tiempo de imaginar. No hay elixires que garanticen mi supervivencia; sólo queda la letra. Y por eso esta escritura que quería servir de venganza y testimonio es sólo ceremonia fúnebre, donde todos los fantasmas me prestan compañía.

Tengo miedo; Urraca, la reina, está asustada. Y sólo la escritura es redentora, porque, aunque mentirosa, reconstruye las sonrisas, revive el odio, la mano que sostiene la espada, la que se agarra al sexo y lo sacude. Todos son gestos, pero ya no escribo para esa historia que debiera reivindicarme; escribo porque estoy sola y tengo frío, tanto frío como debió sentir García, encerrado en la Torre de Luna.

La historia se recompone como fábula, y los muñecos que he creado me desbordan y me exigen cuentas. Cuentas, ¿de qué?, ¿a quién?, ¿a esta mujer de cuarenta y tres años que tiene ya las sienes blancas y, tumbada en el jergón, aguarda el pan y la cocina que dentro de un rato vendrá a traerme el hermano Roberto?

Por eso he de escribir, porque al hacerlo, estas paredes húmedas, donde se marcan las yemas de mis dedos, dejando huellas sobre el musgo, se derrumba y lo de afuera penetra y el campo se hace gris, marrón, dorado, granizo y agua; la luna se refleja una vez más en ese río Tajo que tantas veces crucé y en cuyas aguas me bañé de niña; el agua del río y aquel mar azul, temblón, que se parece a esto que ahora intento. La escritura es como las olas que recomponen un todo; palabras que son espuma que se deshace en cuento se aíslan. Cada letra suelta... esta R persistente de mi nombre, esa U que se alza a los cielos como el águila... la letra sólo, inútil, por toda compañía.

La escritura me devuelve sombras, pero si voy a morir quisiera tenerles a todos a mi lado, aunque puede ser que nunca estuvieran tan próximos como ahora, cuando soy yo la que les da la vida, la que les concede el don de la palabra. Sin mí son muecas, rostros vacíos y quizá era esa mi tarea: dar sentido, a pesar de que mi propósito así quede burlado, ya que mi venganza es sólo rescate y memoria, perduración, tiempo recobrado. Mi hijo y Gelmírez, mi padre y Alfonso me deberán el ser y ni siquiera las manchas y la sangre pueden contra la persistencia.

Pedro de Lara... quizá sea un brío lo que necesito, esa

borrachera del juego y del abrazo, cuando todo era posible.

Una mujer madura se hace desvergonzada, decía Gelmírez, cuando quería que apartase de mi lado al conde y criticaba lo que llamaba manifestaciones públicas de mi indecencia.

—Debieras incluir en tu anillo un ojo seco de comadreja.

No debió gustarle al Obispo esta alusión a su impotencia. En cambio don Pedro cuidaba su anillo y revisaba todas las noches el lugar donde dormía, por si encontraba nudos mezclados que pudieran provocar la suya.

Mi garañón, es tu cuerpo lo que quisiera ahora, tu cuerpo y tus palabras obscenas, para recuperar esa seguridad que parece escaparse, para alejar este ánimo trastocado que tiende a la melancolía.

Echo de menos la acción y ni Poncia, ni Cidellus, ni todos los conjuros, pueden devolverme la fuerza. Yo, la emperatriz, la materia fecunda.

Roberto cree que debo dejarme sangrar, que mi mal sanaría cuando la sangre mala se lleve los espíritus que me acogotan y deprimen; unas sanguijuelas que arrastren el mal *yin*, como la paloma, colocada entre las piernas de las viudas, allá al otro lado de las fronteras, muere llevándose la culpa y la mancha, para que ella vuelva a ser esposa.

Yo fui viuda y repudiada por un esposo que no quería compartir su lecho en pecado y no introduje paloma entre mis piernas... tal vez porque siempre esperaba que él volvería a buscarme.

También a Alfonso llegó a molestarle mi trato con don Pedro. En uno de aquellos días en que él y yo volvimos a estar juntos, poco antes del asunto de Astorga, vino hacia mí y yo le rechacé. Aquella misma tarde había yo dormido con don Pedro. Alfonso se indignó y, como solía, me llamó ramera, pero esta vez sin que fuera preludio de juego alguno.

—En Teruel se considera puta a la que ha conocido a cinco hombres y ha fornicado con los cinco.

Pero yo también conocía el Fuero:

—Si uno dice al otro, yo te vicié por el ano, sean los dos quemados a la vez —cité y Alfonso plegó alas y se fue del cuarto.

En realidad ya por entonces sus predilecciones se habían centrado en otro joven, que desplazó a Castán. Esta vez se trataba de un canónigo de Jaca, que apenas tenía diecisiete años, habituado al nuevo régimen de la vida en común, según la regla de San Agustín. Se llamaba García de Majones, pero tenía ya el apodo de García Guerra, por el entusiasmo que demostraba con la espada y por los rojos que encendían sus mejillas cada vez que peleaba con los moros.

Probablemente fue él quien más influyera en su decisión de repudio. Ese niño y el convencimiento de que ya poco o nada tenía que hacer en tierras de León y Galicia. Muchas torpezas en pocos años... mucha sangre inútil. Pueblos divididos por una guerra civil, fratricida y agotadora... Carrión, Sahagún... Santiago.

Roberto conoció a los hombres; para él aquellos años fueron los días heroicos de la infancia. Habitaba en el *cautum* de Sahagún y recuerda a los personajes como protagonistas de un cuento, del que él y los suyos fueron al fin actores:

—Tenía grandes cejas, muy pobladas, que se juntaban sobre la nariz. Cabalgaba a pelo sobre el caballo y llevaba una extraña pelliza, que no era de ardilla, ni de oso, ni de conejo, ni de cordero... Era marrón y amarilla, como si estuviera salpicada de manchas. Le sudaban las manos y la frente y de su cuello colgaba una cruz de gran tamaño, con una piedra roja en el centro... Yo iba a la plaza a verles a ellos, a los aragoneses y a los otros, los que vestían ropas de terciopelo y hablaban una lengua que no parecía cristiana. Los chicos corríamos detrás suyo y gritábamos: El Diablo, Giraldo, el Diablo.

Giraldo, el Diablo, cuyo nombre ha quedado en mis tierras como sinónimo de todos los excesos.

—No nos quería... Arrasaba los campos y hacía daño, no en nombre de Dios, sino en el suyo propio —me cuenta Roberto, y se aterra de sus propias palabras, al evocar los muñones, los ojos atravesados por la estaca, el hierro ardiente, los tejados de paja de las cabañas ardiendo, las gallinas que ponían fuera de hora, los mugidos de las vacas... Los hombres persiguiendo a los animales, pisoteando la huerta, violando a la hermana y a la madre...

Era como el diablo, repite el monje, y, sin embargo, en la ciudad los hombres le apreciaban.

Giraldo tenía debilidad por las niñitas; muchos niños nacidos en aquel año tenían sus grandes cejas negras y esa extraña marca ocre en la mejilla.

—Se decía que su semilla era fría como la de Satán. La hija pequeña de Pedro Pérez murió al dar a luz, y lo que nació de ella no tenía forma humana.

A veces los diablos, Roberto, se parecen demasiado a los hombres; son como ellos ventrudos y paticortos, lujuriosos y tercos; son como ellos propensos a la rapiña, al desorden.

Yo también he conocido a los diablos, diablos encarnados como el mismo Giraldo. Alfonso sentía debilidad por ellos; él, luchador en nombre de Dios, sabía que un monarca precisa de esbirros, si quiere que se le rinda tributo y obediencia. Un rey no debe mancharse directamente las manos, pero tiene que disponer de ellos, de los Giraldos, que disfrutan con ese tipo de encomiendas. Eso, Roberto, también lo pensaba mi padre; las cosas sucias debían hacerse a sus espaldas, por lo menos desde que el Acto primero, el que le diera legitimidad, pasó a un segundo plano. Por eso mi padre se sentía seguro y podía guardar determinadas formas: era el emperador. Alfonso, en cambio, aquí en mis tierras era un advenedizo y tenía que mantener sus posiciones, empleando la fuerza. Para eso sirven los diablos y Alfonso supo contar con ellos.

—Tenía membranas entre los dedos, como los murciélagos. Muchas que quedaron en cinta malograron sus frutos para que aquello no naciera.

Mi nombre es Legión, Giraldo, el Diablo podría haberlo repetido. ¿Y yo, Roberto? Deberías santiguarte en mi presencia, poner ajo en las ventanas, rezar responsos. Giraldo era en Sahagún la mano derecha de mi esposo, su más seguro servidor, pero yo, a mi manera también le he utilizado. Cuando tuve que elegir, elegí lo que por mi alcurnia y mi rango me correspondía. Fíjate lo que son las cosas, yo, la libertadora, también entonces fui verdugo de muchos.

Giraldo, tú lo has dicho, era querido en la ciudad; él defendía a los burgueses, a esos comerciantes francos que se conformaban con comprar y vender, a los artesanos que se creían libres y no toleraban el despotismo del abad. Y yo, cuando volví a colocar a éste en su sede, entronicé de nuevo la explotación y el miedo. También el abad tenía y tiene algo de Giraldo, aunque sus maneras sean distintas y se revistan de bendiciones. Pero tú, ¿cómo vas a entenderlo? Tú sólo sabes que la reina, yo, en un momento dado, actuó de salvadora, restableció el orden y repuso al abad. Los Giraldos tuvieron que abandonar Sahagún y todo quedó más o menos como antes. El abad no tenía la semilla fría, pero los cánones que cobraba por la harina y la leña —no pienses de nuevo en tu padre, Roberto— volvieron a ser un lucrativo y santificado negocio.

—Los hombres de la ciudad respetaban a Giraldo; hablaban de su valor. Pero en el campo sabíamos que había firmado un pacto con el Diablo.

¿Quieres saber por qué se equivocaron ellos, Roberto? Porque yo, Urraca, fui más fuerte, y la verdad es que difícilmente podía ser de otro modo, ya que mi padre había dejado las cosas bien atadas, tanto que era muy difícil que aquellos burgueses aislados pudieran resistir y mantenerse. No estaba mal ideado: todo el poder concentrado en manos del abad, un abad ayudado en sus funciones por un cariñoso sayón que, aunque no engendraba demonios con aletas en los dedos, podría haber recibido también el mismo apelativo que Giraldo.

Pero estas cosas no debiera decirlas; nunca entonces me habría atrevido a formular pensamientos como los que de pronto me asaltan. Todo lo veo del revés, cual si me hubieran dado la vuelta y otra se hubiera apoderado de tu reina. Posesa yo también, diablo sin membranas que necesita agua bendita para ser librado.

Pero hay una cosa que voy a confesarte: tanto mi esposo como yo teníamos el mismo enemigo, ese que abades y sayones llaman anarquía. ¿Qué quedaría de nosotros, qué quedaría de nobles y reyes, de abades y obispos si ese viejo anhelo de hermandad por el que luchaban en Sahagún y en Santiago llegara a realizarse? Por eso yo también, Roberto, tuve que firmar pactos con el diablo.

Recuerdo aquellos días de la revuelta en la muy noble ciudad de Sahagún. Una reina debe ser estratega y como tal debe contarte aquella batalla. Mira, aproxímate a mi lado y dibuja acerca de ésta lo que voy a decirte.

Una ciudad en el centro, una ciudad que en tu dibujo puede reducirse a un muro de piedra cerrado con una gran puerta de madera. En el muro debes pintar almenas y un vigía con una lanza; las murallas están para defender a los que allí viven.

Dicen que la ciudad hace libre y así debiera ser; un rey repuebla para hacer ciudadanos, para arrancar de la servidumbre a los que de otro modo nunca podrían abandonar sus tierras y, sin embargo, mi padre no hizo del todo bien las cosas.

Pinta verde alrededor, pinta florecitas y trigales. Esas, Roberto, son las tierras de tu *cautum,* donde los tuyos siembran y recogen, donde se dan las cebollas y la cebada y el olivo. Y esos que están ahí no tienen mucho que ver con los que viven dentro, con los herreros, los zapateros, los comerciantes... y todos, aunque no lo creas, intentan lo mismo: no depender de ningún señor.

Mi padre repobló Sahagún, como hizo con otras muchas ciudades, amparándose en esa vieja idea, pero dejó a los hombres de la ciudad en manos de un dueño aún más avaro, más duro, más terrible. Pinta al abad ahora, pinta el monasterio gigantesco, flotando por encima de la ciudad.

No hubo hombres libres en Sahagún y los que allí vivían tenían que comprar los víveres fuera de los muros y una ley inflexible del abad les prohibía adquirir el bien más preciado: la tierra. ¿Te das cuenta? Estas florecitas que has pintado, esos pinos verdes que se adivinan en esos trazos que suben hacia el cielo, les estaban vedados.

Por eso se rebelaron; por eso creyeron encontrar un posible salvador en un nuevo rey, que era de Aragón y podía aportar usos mejores.

Puedes pintar ahora a Alfonso a caballo. Él se mostró ante los hombres de la ciudad como el dador, el que podía devolverles sus viejos fueros y la gloria. Aunque tuvieran que soportar la tiranía de los sodados.

Y a mí, entonces, no me quedaba opción; si Alfonso les apoyaba a ellos, yo tenía que prestar mi ayuda al abad. Había que reforzar la autoridad, demasiado quebrantada, devolver cada pieza del juego a su posición de origen. Y yo actué, porque aquellos burgueses envalentonados se habían tomado la justicia por su mano, habían saqueado las tierras de los rústicos, las de tu familia, Roberto, y habían secundado los desmanes de Alfonso y de Giraldo.

No era tonto Alfonso: dio la razón a quien debía dársela, desterró al antiguo abad y entronizó en la abadía a su hermano Ramiro y colocó al mando de la ciudad a uno de sus caballeros, ese detestable de Sanchiáñez, que aprovechaba el desconcierto para llenar sus arcas.

Pinta a tu reina como libertadora. Una salvadora que tuvo que aplicar la Ley para castigo. ¡Qué extraño juego, Roberto! ¿Te acuerdas? Yo tuve que expulsar a la mitad de la población de la ciudad y establecí un riguroso estado de sitio: pena de muerte para todo aquel que andara fuera de su casa después de la hora nona y la excomunión como aliada.

No me siento bien; reaparecen los fantasmas; las manos cortadas, las cabezas, los cuerpos empalados para escarmiento y memoria.

Era demasiado pronto para ellos... Tampoco Sanchiáñez, Ramiro y mi esposo les hubieran concedido lo que ellos pretendían. Son cosas del poder, cosas del reino, secretos que yo voy a revelarte para que tú, monje, los transmitas a tus pinceles... secretos que nunca me he repetido a mí misma, pero que siempre supe, como los

173

sabía mi padre y como los sabían Alfonso y todos los demás. Es una hermosa palabra, la palabra *hermandad,* pero será huera y vacía mientras estemos nosotros. Los ciudadanos se hermanan para ser libres y yo sé que en ellos reside toda la fuerza, pero precisamente porque conozco y conocía esa fuerza tuve que actuar como reina. Y mi fuerza y la suya estarán enfrentadas para siempre. Yo, Roberto, estaba necesariamente del lado de los míos, con los abades y nobles, frente a esos que tú llamas honestos y cuya potencia está en la habilidad de sus manos.

Una hermandad sin armas está perdida y ¿qué armas son las agujas del sastre, el cepillo del carpintero, el yunque...? Ellos, mientras tanto, nos necesitan a nosotros, necesitan del Diablo, de la espada de doble filo resistente y firme, que sólo pueden manejar los que tienen dinero suficiente para llegar a ser armados caballeros. Necesitan a Alfonso o me necesitan a mí. Por lo menos hasta que consigan armarse y eso, por ahora, Roberto, no es posible, ni imaginable.

—Hasta trescientos mancebos se habían congregado en casa de Pedro Zorita; no querían jefes.

Sí, monje, trescientos mancebos, lo más hermoso de la ciudad de Sahagún, se había reunido en la casa del viejo tejedor con la absurda pretensión de gobernarse a sí mismos. Pero todavía no era el tiempo; no lo era porque ni yo, ni Alfonso, ni el abad, podíamos consentirlo. Entonces, Roberto, yo lo tenía muy claro ya que sólo el Imperio me movía y, en cambio ahora, aquí, contemplando el ingenuo dibujo de tu ciudad amurallada e inexpugnable que pretende ser Sahagún, vacilo y tengo ganas de regresar atrás, a aquellos días en que la ciudad de Sahagún se creyó libre.

—Celebraban orgías al anochecer —cuenta Roberto—; hombres y mujeres comían y bebían hasta altas horas de la madrugada y cantaban canciones blasfemas. Cuentan que en casa de Pedro Zorita se celebraron misas sacrílegas.

Hombres libres, monje, que comían y se ayuntaban bajo la luz de los candiles, celebrando su efímera sensación de dominio.

—Aquel año el carnaval duró más de quince días. Algunas mujeres bailaron desnudas en la plaza, en torno a un monigote de paja que tenía en la mano el báculo del abad. Daban vueltas en torno a él y dejaban que los hombres besaran su...

Su trasero, pero tú no te atreves a pronunciarlo delante de tu reina. ¿Te das cuenta? No es mucho lo que querían: sólo danzar, comer y hacer el amor noche tras noche.

Me hubiera gustado ver a Alfonso en medio de esa que era su chusma, su soldadesca; él, contemplando la danza de las mozas en cueros en medio de la plaza. Parece que a Giraldo le entusiasmaban aquellas demostraciones de alegría, cuando los hermanados se recogían en las casas y rezaban extrañas oraciones de acción de gracias. Se inventaban canciones, se ponían nuevos nombres, se imaginaban futuros, y yo tuve que recurrir a Bernardo de Salvatat, antiguo abad del monasterio y ya entonces arzobispo de Toledo, para que me ayudara a recuperar mi potestad y el respeto que todos parecían haberme perdido.

—Una vez en que los ánimos estaban muy caldeados, los hombres, a las órdenes de Giraldo, se dirigieron al monasterio para colgar vivo al abad. Pero alguien le avisó a tiempo y el viejo se largó antes de que llegaran. Tuvo que refugiarse en Carrión y allí fueron a buscarle las tropas del rey Alfonso, pero los monjes se negaron a entregarle.

Roberto, los hombres que se dicen de Dios, también corren a veces con el rabo entre las piernas... Hasta el propio Gelmírez corrió un día. Si aquel día le hubieran echado mano, le habrían degollado, y yo tuve que mentir para salvarle. Yo, que a mi vez fui golpeada y arrastrada sobre las piedras del atrio de la catedral de Santiago. Yo, la reina... No hay respeto cuando intervienen intereses y precisamente por eso, porque todo nuestro poder es frágil y puede quebrarse cuando los ánimos se excitan... Lo habrás oído alguna vez, habrás escuchado en alguna taberna el relato nada heroico de mi fuga, acompañada por el Obispo.

Yo en aquella ocasión tuve claro, como debió tenerlo también el abad de Sahagún, como tú cuentas, que mi cuello dependía de la habilidad de mis piernas y de la oportunidad de hallar buen escondite.

Hermandades... siempre que hay hermandad, los míos tiemblan, Roberto, y tiemblan con razón, porque la fuerza de los hombres unidos es como el mar o como el río cuando se desborda y pierde su cauce. Por eso nosotros tenemos que pactar y fomentar la desunión, las rencillas, tenemos que prometer y castigar.

Pero todo esto no voy a decírtelo, porque tú podrías interpretar mal mis palabras, podrías propagarlas por los pueblos de mi reino y los cantos volverían a sonar al anochecer, la danza obscena de las mozas desnudas en la plaza, el vino que corre y precipita los sueños de ser libres.

¿Sabes, Roberto? Yo, Urraca, nací reina, pero si hubiera nacido en la ciudad, si fuera Urraca López, la hija del cordelero, abría aflojado el corpiño y subido mis sayas, para bailar la danza loca de la libertad en la plaza mayor, hubiera convocado a los hombres al sonido de la campana y hubiera vendido mi alma a Giraldo y a los suyos para lograr ese bien que desde siempre me habían arrebatado. Yo, Urraca, rebelde, arengando a ciudades y pueblos frente a reyes y nobles, yo, Urraca, contando las verdades que ahora no puedo decirte... Yo bordaría pendones y estandartes de libertad, escupiría al abad y formaría una gran hoguera, donde se consumirían todos sus atributos, compondría letrillas obscenas y picantes donde Alfonso, el rey, y todos los suyos se mostrarían como lo que son: impotentes y cobardes, sanguinarios y avarientos, voraces.

Porque yo entendí ese lenguaje, porque sabía el regustillo que podía dejar en los labios, pude pactar y engañar a los hermandinos cuando fue necesario; yo como ellos falsa y capaz de traición, como los Alfonsos y los Giraldos.

Pero si yo te contara todo esto, si añadiera estas imágenes a mi crónica, pensarías que la muy santa defensora de la corona y la religión había también vendido su alma al Diablo, y mis palabras se las llevaría el viento y caerían pronto en el olvido, porque todavía no es el tiempo, ni yo soy quien para añorar los bailes hasta el amanecer, las canciones obscenas, la esperanza.

Ahora, Roberto, te pido una vez más que te retires, porque el dolor en el costado se hace más fuerte y quiero descansar... Cincuenta hombres ahorcados, para que no cundiera el ejemplo, para que la semilla de la libertad no fuera fructífera, es una buena cosecha de muerte, y yo fui la causa de esa nueva victoria, míos los edictos y las normas especiales.

Oigo aún el llanto de las mujeres aquella tarde, cuando todos los habitantes fueron convocados en la plaza para presenciar las ejecuciones. El abad rezaba de nuevo y sonreía, mientras yo, desde lo alto de la escalera, dirigía la ceremonia. Tú eras un niño entonces y quizá lo hayas olvidado, o quizá no, quizá porque te acuerdas bajas ahora los ojos y dices al marcharte:

—Aquel año, cuando todo acabó, los campos no dieron fruto. Hubo luto, un luto que duró todo un lustro. Durante mucho tiempo las gentes de la ciudad daban un rodeo, cuando se veían obligados a pasar cerca de la plaza; nadie quería recordar lo que allí había ocurrido.

XVIII

Ha subido el abad para comunicármelo y luego, cuando él se ha marchado, Roberto ha venido a despedirse. Ha dejado caer sobre el jergón una rosa seca:

—Allá en Saldaña podrás guardarla en el arca como cuentas que hacía tu madre.

Me voy, Roberto. Mi hijo me reclama. Él, el rey, se ha acordado por fin de Urraca y quiere reunirse con ella, desea que ocupe el puesto que me corresponde a su lado, en la corte. Vendrán emisarios, enviará un cortejo a recogerme; tenías razón, monje, mi pueblo todavía se acuerda de mí, de su reina.

Cuando hace un año repicaron todas las campanas de este monasterio, tocando a duelo por la muerte de Gelmírez, yo, ¿te acuerdas?, presentía que esa que a todos nos iguala no tardaría tampoco en venir por Urraca y ahora, cuando ya no lo esperaba, la puerta del monasterio se abre por fin y no saldré en caja de madera, sino subida a lomos de un caballo que mi hijo ha elegido para mí; un caballo con montura de plata.

Y mi crónica va a quedar incompleta, ya que hay muchas cosas que todavía no te he contado, muchos proyectos que maduraron y quedaron en nada, como la mitra, la moneda y las galeras por las que tanto luchó Gelmírez.

Durante mucho tiempo recreé este instante en que por fin recobraré mi libertad; muchas noches velé tra-

179

mando detalles de mi posible huida de la que tú, monje, habrías de ser gestor y ahora, cuando ya el Obispo ha muerto, cuando nadie se enfrenta al Imperio de mi hijo y yo había perdido toda esperanza, se me devuelve la posibilidad de movimiento y, tal vez, la perspectiva de recuperar mi trono.

El abad lo ha insinuado; he podido leerlo en sus ademanes excesivamente corteses, en su deferencia. Hay gentes en Castilla y León que todavía deben preferir a Urraca; muchos nobles que estarán dispuestos a defender mi candidatura porque mi hijo, al fin y al cabo, es para ellos un extraño.

Y es raro que a él mismo no se le haya ocurrido esta idea... Es sorprendente que venga ahora, pocos días antes de la que ha de ser su entrada triunfal en León, a buscar a su madre... Quizá...

Monje, me vuelve el mal, los presentimientos, las malas imágenes. Él es hijo de su madre, amamantado por el Obispo, educado por el de Traba, ¿por qué no iba a ocurrírsele?, ¿por qué no iba a comprender que un rey no está del todo seguro mientras viva la reina?

Sería sencillo: la emoción por la salida, el invierno, una enferma y gastada mujer, el camino. Saldaña es un hermoso lugar para morir, ni mejor ni peor que este monasterio que ha sido cárcel y retiro, esta celda que, en los últimos tiempos y, gracias a ti, monje, era también refugio.

García en la Torre de Luna debió ser un recordatorio molesto para mi padre. Lo de Sancho, en cambio, debió tranquilizarle: de una vez y para siempre... un rey no está consolidado mientras el que él ha destronado conserve la vida.

Y no habrá catadores para probar mis comidas, ni mantos que intenten frenar el dardo; no habrá juicio de dios para determinar el culpable, porque no nacerán las sospechas, ni a nadie le interesará fomentarlas: una reina cansada y llena de achaques deja el terreno libre para que su hijo pueda gobernar, sin que malos presagios o bandas rivales puedan hacerle sombra. Un hijo arrepentido que decidió llevar a su madre consigo, para disfrutar con ella las mieles de su triunfo.

Porque sé que yo no puedo ser la Mafalda de Alfonso Raimúndez. Él, si ha salido a mí, si Gelmírez ha sido el maestro adecuado, debe saber que nada le es menos beneficioso que la presencia de su madre... Ahí radica tu mal, Urraca, en esta cabeza que nunca puede dejar de funcionar, en esa razón que encadena los datos y alumbra los hechos, creando redes y vínculos que aparecen dotados de una lógica irrebatible. Esa ha sido tu desdicha, siempre, desde que eras niña: contemplar la realidad como un tejido, donde causas y efectos se entrelazan; efectos que pueden propiciarse, causas que se pueden desentrañar, analizar... y además ese formidable don, que te ha permitido calar en el corazón del otro, intuir sus debilidades, prever sus expectativas, meterte en su mente y en sus venas, adivinar su pensamiento.

Por eso resultase difícil de vencer y por eso ahora, aquí encerrada, el mensaje del abad se reordena en tu cabeza y brotan los sentidos: un hijo rey y una madre presa; una madre que fue bandera para nobles y burgueses de Castilla y León y un hijo crecido en Galicia y muy vinculado a intereses locales.

¿Ves, Roberto? Todo se recompone como una historia donde aparecen en primer término unos protagonistas que creen ser dueños de su situación, cuando, la mayoría de las veces, son las cosas, las situaciones, las que actúan en nombre de uno. Una corona es algo demasiado grande: no es mi hijo quien me llama, sino la corona que

está detrás, como en aquel año de 1114, cuando mi hermana Teresa me acusó ante Alfonso, afirmando que poseía pruebas de que yo estaba tramando envenenarle.
Todos creyeron sus palabras y Alfonso aprovechó la oportunidad que le daban para dar el paso que tanto le costaba y apartarme así definitivamente de su lado. Y da igual que yo alegue que no tuve intención en aquel momento de atentar contra la vida de Alfonso, como dieron lo mismo en aquella ocasión mis proclamas de inocencia. Es cierto que no intenté matar a Alfonso, pero pude haberlo hecho, como poco antes había permitido que Gómez González actuara en mi nombre; y, no obstante, lo cierto es que precisamente entonces yo no quería su muerte, porque durante tres meses, aquellos tres últimos meses vividos juntos en tierra de León, no hubo Castanes ni Majones que se interpusieran entre nosotros, y por un breve espacio de tiempo no fue la reina, sino Urraca, la que con ojos tan húmedos, tan blandos como los de Zaida cuando miraba a mi padre, contemplaba a Alfonso.
Pero en una crónica no caben mis despertares con las mejillas rojas, mis cabellos revueltos, la mezcla de agradecimiento y deseo con que me arrimaba a Alfonso en aquellos días. Hay otras lógicas más allá y por encima de los sentimientos, una lógica implacable que mueve al soberano y le conduce a preparar pócimas, a pagar esbirros, a despejar el camino... Yo no quise ser Zaida, y cuando lo fui durante aquellos meses también resultaba peligrosa. Los que rodeaban a mi marido no podían entender de zalemas y repentinos apasionamientos; yo le robaba su voluntad, le distraía en su tarea, le impedía concentarse en movimientos de tropas, en pactos, en tratados.
Alfonso se había aficionado al vino rojo de Ávila, y por las noches nos retirábamos dejando a nuestras es-

paldas un nimbo de «las cosas por ahí no van bien», precisamente porque iban bien entre nosotros. Fue entonces cuando llegó incluso a rumorearse que no sería extraño que de nuestra unión naciera al fin un hijo. Un hijo de Urraca y Alfonso, el de Aragón.

Monje, ahora puedo repetir que aquel rumor era insensato, pero entonces permití que se fomentara, sin darme cuenta de que una reina y un rey no pueden tener hijos, sino herederos, y un heredero que desplazara a Alfonso Raimúndez no podía venirle bien a casi nadie en mis tierras: ni a Gelmírez, ni a mi propio hijo, ni a mi hermana Teresa.

Acababa de morir mi cuñado Enrique, y Teresa, probablemente alentada por Gelmírez y el de Traba —todavía ella no se había liado con su hijo—, debió pensar que una bastarda también tenía derechos sobre el Imperio. No estaba mal tramado: yo, envenenadora, sería recluida o desterrada y mi matrimonio sería anulado definitivamente, de modo que ella, la reciente viuda, podría casar con Alfonso, ocupando mi puesto en el trono y en mi cama...

No hay una sola verdad, Roberto, sino muchas verdades, y tal vez la calumnia de Teresa era tan verdadera como estas declaraciones mías de amor hacia Alfonso, cuando han pasado tanto años y ya nada puede comprobarse. Nuestra unión no podía darse, era también prematura, porque tanto en sus tierras como en las mías había muchos dispuestos a que no se llevara a cabo; por eso, en realidad, ni los gustos de Alfonso ni mis cambios de humor han sido decisivos; a veces he tenido la impresión de que la historia se hacía sin mí, a mis espaldas... Me creía lúcida y poderosa y en pocas ocasiones he movido yo los hilos, como tampoco los manejaba el Batallador, como quizá ahora tampoco los mueva mi hijo.

Elegí ser reina y no cabían Zaidas dentro de mi piel, porque yo no podía ni sabía ser Zaida sumisa, reposo del guerrero, cojín dorado donde reposar la cabeza, ya que yo, por mi parte, tenía la mía que en ningún momento dejaba de funcionar.

Es cierto, monje, que yo, de algún modo, robaba la voluntad de Alfonso; es verdad que le influían mis planteamientos, que empezaba a ver a través mío, como yo comenzaba a querer sus desplantes, su precisión, sus caprichos voluntariosos de niño malcriado... Y juntos éramos excesivamente fuertes como para que los que nos rodeaban pudieran tolerarlo. Si nuestras voluntades hubieran llegado a unirse, como en aquellos meses en que se entendieron nuestros cuerpos, aquel viejo sueño imperial de mi padre habría sido una realidad que no podían admitir ni los nobles, ni los burgueses, ni desde luego los demás reinos. Un Imperio funcionando como máquina poderosa frente a los mezquinos intereses de grupos y clanes.

Y aunque no eché hierbas en la comida de Alfonso, yo u otro habría terminado por ponerlas para evitar algo que era contra razón; hierbas fueron las que alguien me dio a mí, filtro de amor de esos cuya fórmula conocía Poncia, y filtro de amor bebió también el rey, filtro que le devolvía la potencia y le robaba las turbaciones y el sentido de culpa. Pero ese filtro era tan perjudicial para los reinos como las hierbas de muerte que yo no llegué a preparar.

Y fue contra ese filtro y no contra el veneno contra el que reaccionó Alfonso; ese era el que no podía consentir, como no podían hacerlo caballeros y abades: un rey satisfecho y gozador que se distraía en cosas nimias, que gastaba su tiempo en el lecho y la mesa, olvidado del moro, la guerra y la cruzada.

No, yo no podía ser Zaida, pero mucho menos podía ser Alfonso el marido festivo y complaciente, porque aquel filtro trabajaba en contra suya. Un guerrero es un guerrero, monje, y sólo se realiza a lomos del caballo con la espada y el dardo y la loriga y la adarga. Alfonso se había sentido Cruzado, era cruzado, no ya porque su madre le hubiera llenado los oídos de plegarias y cruces, sino porque él se había elegido guerrero y amaba la acción; gozaba mucho más que yo misma con el ruido de los cascos del caballo, con la confusión de la batalla, con el polvo, con el sudor resbalando por su frente, bajo el yelmo. Y eso sólo era compatible con Bermudos devotos o Zaidas indiferenciadas, a las que por la mañana no se vuelve a ver...

O tal vez no, tal vez nuestra unión, el encuentro de Alfonso y Urraca era tan potente, tan rico, tan lleno de posibilidades que tanto él como yo tuvimos miedo y no fuimos capaces: un único Imperio y una única voluntad compartida. ¿Lo alcanzas, monje...?, por encima de las envidias y los recelos, y sobre todas las leyes particulares con nuestra única Ley como norma, una Ley inventada y asumida por nosotros.

Pero eso es ya fantasía; es leyenda, utopía, proyecto insensato que a ratos ha madurado en el corazón de esta vieja, enclaustrada en un monasterio sin más compañía, monje, que la que tú me brindabas.

Quizá la Ley está detrás y es más fuerte que nosotros, más imperiosa; esa Ley que hace que yo no pueda ser Mafalda, que mi hijo no pueda querer ahora que yo siga a su lado con vida, que no necesite para nada a su madre, depositaria de la razón y de la herencia.

Yo todavía soy la reina, porque no puedo renunciar ni dimitir; no puedo impedir que alguien me elija frente a su despotismo o su arbitrariedad o su justicia. Son muchos los intereses y difíciles de conciliar, y yo, en vida, seré siempre un símbolo al que se puede acudir. Y ahora comprendo que este último viaje que voy a emprender a la ciudad de Saldaña para reunirme con ese hijo que ya quiere llamarse Alfonso VII *Imperator totae Hispaniae*, va a ser inevitablemente mi última salida a un ruedo que tiene los terrenos marcados y donde las suertes están decididas de antemano.

Porque ahora, Roberto, yo ya no voy a luchar. Sé que si quisiera podría hacerlo y volvería a vencer. Yo, la que combatí contra mi propia hermana y contra él, la que recurría a mi hijo, para inmediatamente volverle la espalda.

En un séquito siempre viene aquel que quiere ser comprado; entre los que acudirán a buscarme estará aquel que espera que su reina le haga la propuesta: bolsas de oro, un señorío, un obispado... Una reina desposeída todavía puede prometer, y ya no habría venenos, ni dardos, sino de nuevo una reina reivindicadora, montada en el caballo, arengando a las tropas, convocando a mi pueblo, ese que, como tú cuentas, monje, tiene debilidad por su reina.

Podría levantar a las tierras de Castilla y León frente a mi hijo. Ya no está Gelmírez para ayudarle; sería un nuevo duelo, aún más emocionante: sangre contra sangre, igual que mi hermana Teresa ha tenido que combatir contra su hijo, cuando éste ha crecido y ya no ha podido soportar por más tiempo los excesos de su madre con Fernando de Traba, el despotismo y la arbitrariedad de un padrastro demasiado joven. Teresa perdió, pero ella nunca fue muy hábil. Yo... ¿Quién sabe? Todavía vive Alfonso de Aragón y es más poderoso que nunca; puede ser que él también haya recordado durante todo este tiempo aquellos meses y probablemente echa de

menos las piernas duras de Urraca; o puede que también
él, a pesar de sus Castanes y sus Bermudos, haya com-
prendido que el viejo proyecto de Imperio era más fasci-
nante que sus cruzadas de andar por casa.

Esto mismo debía pensar el abad cuando subió a avi-
sarme; por eso me llamaba mi señora, mi reina y doblaba su cabeza, rindiéndome pleitesía, él, que no se ha dig-
nado acudir a mi celda en todo este largo tiempo, él que
me ha mantenido en este aislamiento del que tú solo,
monje, has sabido librarme.

Te llevaré conmigo, Roberto, te sentaré a mi lado en
la corte y ocuparás el lugar que antes ocupó Gómez
González, conde de Candespina; tú seguirás con tus miniaturas y, por las tardes, cuando los asuntos del reino
me hayan fatigado, acudiré a ti para seguir contándote
las historias, para que me ayudes a recordar, a revivir
todo aquello que fue o pudo ser mi crónica. Tengo muchos proyectos y tú podrías ayudarme a realizarlos: llenaré mi corte, esa antigua corte de León, de juglares y
poetas, cambiaré mis sayas de lana por vestiduras de
seda y construiré jardines más floridos aún que los de la
lejana Córdoba.

El día, ahora lo sé bien, tiene demasiadas horas y hay
todavía muchas cosas por hacer.

Aprenderé a tocar el salterio y el laúd, bajaré a las
cocinas de palacio y haré que mis criados guisen grandes
empanadas de hojaldre para festines propios de un sultán... traeré trovadores y danzarinas, y los tuyos podrán
ir al molino todos los días de la semana sin pagar esos
sueldos que tan injustos te parecen, podrán cortar leña
en el monte, dejar pastar sus vacas en los prados para
siempre libres, sin cercar, sin mojones, y no habrá más
pruebas de Dios, ni más torneos justicieros.

Tú tienes que ayudarme, monje; mi hijo Alfonso

Raimúndez ha crecido en la guerra y no podrá entenderme. Él, como Alfonso, sólo debe entender de campañas y de ampliación de fronteras; él no va a querer permitírmelo. Pero yo voy a ganar una vez más, y mi corte se parecerá a esa corte de Borgoña, donde corre el vino, ese dulce país que ponía chispas en los ojos de mi madre:

Mais a Monseineuer Guillaume un jongleur;
En toute la France n'y si bon chanteur
Ni en batailleur de plus hardi frappeur
et de la geste sait dire las chansons.

Todas las canciones de todas las gestas volverán a ser cantadas, y tu reina presidirá torneos de esos que, según Constanza, se celebraban en su casa, torneos al son del rabel, mientras tú, monje, viajarás por ese mundo apocalíptico que te devuelve el entusiasmo y enriquece tus pinturas.

Tu reina ha aprendido mucho aquí contigo y ha llegado el momento de comenzar la Obra, esa que Cidellus pensó para mí; ya no estoy enferma, ya no me preocupa ni la punzada en el pecho ni este frío. Usaré pieles de armiño y me pasearé contigo por la huerta, junto a la ribera del Tajo, eligiendo los cultivos, distinguiendo cada planta, y habrá canales que llevarán el agua clara a esos lugares áridos que durante tanto tiempo sólo fueron pisoteados por mis ejércitos y los de mi esposo.

Y llenaré tu cama de doncellas tan rubias como Inés de Aquitania, tan pacientes y tiernas como esa virgen madre que dibujas, y tu goce volverá a ser el mío y no habrá abades que te molesten, ni remordimientos.

Hoy te has ido demasiado deprisa, Roberto, y es una lástima, porque ahora podríamos planificar juntos. ¿Sabes?, también Bernardo de Salvatat, el viejo zorro, ha muerto hace unos meses, y ahora Gelmírez y él juegan en la misma rueda. Toledo es una buena sede con prestigio y tradición, mucho mejor aún que la de Santiago, por mucho que el Obispo se empeñara en ensalzar la suya, y yo, Roberto, tengo pensada para ti esa sede.

¡Cuánto conspiró el Obispo para lograr la suya!, y si no fuera porque también la muerte trabajó para él no la habría alcanzado; sólo cuando el tío de mi hijo, ese que ahora se llama Calixto, llegó al Papado, se le despejó el camino a Gelmírez, y fue entonces cuando se pasó decididamente al partido de mi hijo y yo comencé a ser un estorbo. Si Calixto no hubiera sido elegido Papa, yo no habría padecido este encierro. Pero un borgoñón tenía que apoyar decididamente a la rama borgoñona, y un Papa, al fin y al cabo, es el único que puede convertir un obispado en sede metropolitana.

Toledo... ¿Qué te parece, monje? Tú, en vez de báculo y ballesta como Gelmírez, tendrás báculo y pincel, y juntos pasearíamos por el zoco para recuperar los olores pringosos de la miel y las especias, el aroma del cuero sin curtir, las esencias y los perfumes, y volveríamos a permitir que se construyeran mezquitas y sinagogas, junto a las nuevas iglesias que también yo, como mi madre, haré levantar.

Pero puede ser que te asuste la idea, porque de nuevo yo intento decidir en tu nombre. No puedo evitarlo: es la antigua costumbre del mando y pienso, Roberto, que así tal vez te destruiría, porque una mitra y un arzobispado podrían hacerte olvidar tus pinceles, te arrebatarían la sorpresa de los ojos, la curiosidad, el poder de transfigurar tus terrores a través de tus pinturas.

No me hagas caso, monje; no era Urraca la que hablaba, sino de nuevo la reina. Es un mecanismo poderoso, implacable, un gusanillo contra el que apenas se puede luchar. Yo, la dueña de las vidas y la señora de la muerte. Yo doy, yo quito, yo dispongo, y todo lo aprendido aquí, a tu lado, se borra para que aflore la antigua Urraca, la que sabía ordenar y quería ser obedecida. Aunque puede que tú también sueñes con esa mitra que tu condición te impidió alcanzar; puede que estés aguardando ese día en el que por fin vengues a tu padre, el momento en que puedas quitar y poner abades a tu antojo. Por eso sería bueno que estuvieras aquí conmigo, para sugerirme cargos y prebendas, porque yo ya casi no puedo pensar, si no es para consultarlo contigo, para referirme a ti.

Mañana, cuando el séquito mandado por mi hijo venga a buscarme, seré yo misma la que suba a recogerte, seré yo la que te ensalce delante del abad y todos tus cofrades y, luego, ya tendremos tiempo cuando estemos en mi corte, cuando todos mis nuevos planes hayan fructificado, de pensar en ti y en tu futuro. Pero, en cualquier caso, no puedes abandonarme. Tú eres mi testigo, el que ha alentado mi escritura, y debes estar conmigo en el momento de mi gloria. Tú serás en lo sucesivo el cronista de tu reina y tu crónica estará adornada con ángeles de alas con mil ojos, esos ángeles del Apocalipsis que te gusta pintar rodeando al Altísimo.

Yo, rodeada de ángeles, luciendo un manto escarlata, con los ojos también muy abiertos, porque una reina debe verlo todo como ese dios al que pintas una y otra vez. Tú serás mi cronista y mi pintor, porque hay aún muchas historias por inventar, muchas batallas, como aquella, por ejemplo, en que permití que las tropas de Gelmírez se adelantaran y retuve al Obispo conmigo para después hacerle prisionero, o aquella otra cuando mantuve a mi esposo sitiado durante tres días en el casti-

llo de Peñafiel, o aquella en que acorralé a las huestes de
Teresa junto a las aguas del río Miño.

Porque yo podré decir entonces como el sabio Ben
Hazm, soy, y no es exagerado, la inestimable, la valiosa
perla en que ninguno encuentra imperfección o mancha,
aunque en los corazones de mi gente anide la tristeza
por la envidia ante el talento, el ingenio y la sabiduría,
que no lograrán nunca, como el corcel vencido en la carrera no alcanza ni siquiera el polvo del corcel vencedor.
¿Qué me importa la envidia si, en los confines de la tierra, en alas de la fama vuela mi nombre?

Y tú serás mi exegeta y mi cantor, el Ben Hayyan
que pronuncie mis loas, porque esto que yo he redactado
no se parece a una crónica.

Tú la escribirás para mí y en ella no ha de haber
vacilaciones; volverás a contar la historia como tú que-
rrías haberla trazado: tu pobre y abandonada reina, desposeída por la ambición de todos los que la rodeaban,
maltratada por un marido que sólo se sentía bien en
compañía de caballeros cruzados.

A las crónicas, monje, no les conciernen los humores
o los abrazos, sino sólo los hechos y las batallas, y yo
pagaré un escribano para que tú le dictes lo que tuvo que
ser y no te distraigas de tu verdadera tarea: pintar a
Urraca, dar color a sus cabellos, dar plata reluciente a las
lanzas y a las picas, dar rojo al fuego y mucho, mucho
dorado: oro en los nimbos, oro en el manto y en la corona y en el cetro.

Pero ahora es tarde y debo dormir para que mañana,
cuando ellos lleguen, no se hagan evidentes las arrugas
debajo de mis ojos, estas canas que taparé con gena en
cuanto vuelva a palacio, esta palidez que podría engañar-
les acerca de las fuerzas que aún poseo. Ahora seguramente también mi hijo descansará, y puede que le ator-

menten los malos sueños, que tenga presentimientos y presagios. Todo lo que ha dispuesto debe estar ya en marcha, y sólo él sabe cuál de los que envía ha de ser mi verdugo. Duerme bien, Alfonso Raimúndez, y no dejes que te asalten las pesadillas. Tu madre aún sigue viva y las cartas aún no han sido tiradas; probablemente tú también has consultado a los astros y ellos te han advertido de la justeza de tus previsiones; quizá Nabucodonosor te ha alertado, como aquel día en que Poncia las echó para mí; pero ahora, como entonces, hijo, todavía no ha salido la Muerte.

XIX

Así contaba Ibn Saraf, visir y secretario, la victoria que ellos obtuvieron en Uclés, donde muriera Sancho, el hijo de Zaida: «Amanecimos el día 14 de Savwal y rodeamos la ciudad como rodea el círculo a la esfera y como el útero materno envuelve al feto... Nos arrimamos a ella con las lanzas y la agitamos como se agita la rama con la fuerza del viento, hasta romper su sello y morderle los tobillos y Dios se apresuró con su auxilio y el cerco del mal rodeó sus casas y los aniquiló, como aniquila la basura, y los disipó el viento de la victoria y se abatieron como se abate la mies segada y se tumbaron como se tumba el perro ante el umbral.»

De este modo quisiera yo, Roberto, que tú completaras mi crónica, introduciendo la metáfora, jugando con las palabras. Una derrota puede ser gloriosa si se sabe emplear el adjetivo adecuado, si se comunica la acción, gracias al sucederse ritmado de los verbos. Escucha, Roberto, observa qué bien suena: «entonces se entremezclaron las lanzas de uno y otro bando y se oscureció la noche; se agarraron entre sí los de a caballo y se quebraron las lanzas entre nubes de polvo y se hizo estrecho el campo para los grandes ejércitos... rodó el molino de la guerra, repartiendo males y brotó el estruendo de las heridas y los golpes... No lució el día y no se disipó la polvareda hasta que cayeron sus cuellos y golpearon sus cabezas la tierra... Huyó la cruz por el camino y se probó la madera del Islam y fue buena; los hundió la muerte y perecieron y los extinguió la desdicha y se apagaron.» Uclés... montones de cadáveres apiñados, desde los cuales el almuédano llamaba a la oración, y un niño de diez años tuvo que morir ese día para que nadie se opusiera en mi camino hacia el trono. Ya no más, Roberto. Ni un solo muerto más para esa pira de cabezas cortadas.

Tenía yo razón y tú seguramente has podido notarlo: hay muchos que esperan mi regreso. ¿Has percibido la sumisión de mis cortesanos, las sonrisas de algunos, cargadas de promesas? No sería nada difícil, no; tú tendrías tu mitra y yo recuperaría mi Imperio. Pero ya es muy tarde y yo también tengo un hijo, como Zaida; soy aquella que, como dice el texto del Apocalipsis, ese que a ti te inspira, engendré un hijo varón y viví un tiempo y la mitad de otro tiempo alejada de la serpiente.

Ya es un hombre, Roberto. Me han hablado de él, me han descrito sus hazañas y estoy satisfecha y yo no soy quién para desbaratar sus planes, aunque tampoco puedo permitir que los lleve a cabo del todo, por lo menos en lo que a mí concierne. Luego son pesados los remordimientos, son muchas las noches y a un hombre hecho y derecho pueden derrotarle los malos espíritus; él, por otra parte, es hijo mío y no iba a defraudarme... hijo mío y nieto de mi padre. Por eso tengo que apresurarme para que él no tenga tiempo de actuar, para ser más rápida y hacer por mí misma lo que él no debe asumir como culpa. Hoy, aunque tú no habrás podido fijarte, me he mantenido alerta, he evitado probar cualquier bocado, beber cualquier líquido, he procurado no mantenerme rezagada, he esquivado proximidades y he controlado con atención las riendas de mi caballo. Tenía

que evitarlo, tenía que impedir que la historia se precipi-
tara y cayera como un dogal sobre su cabeza. Por eso te
he llamado, por eso quiero ahora que vuelvas a estar
conmigo, porque esta vez sí voy a despedirme. Sin embargo, antes quiero que vuelvas a dormir con tu reina,
porque ahora que me voy me parece, como al mismo Ibn
Hazm, de quien te hablaba el otro día, que he llegado en
la posesión de la persona amada hasta los últimos límites, tras de los cuales es imposible que un hombre o una
mujer consiga más y, sin embargo, siempre me ha sabido
a poco. Ves, esta noche mi cuerpo está caliente y jugoso.
Mira mis muslos, toca la humedad y báñate en ella. Así,
despacio, deja que admire una vez más tus nalgas estrechas, tu cintura; dame el cetro, monje, para que lo ben-
diga. Ahora, ven conmigo ahora... no... aguarda, aguarda;
esta vez tiene que prolongarse... Si quieres, si tu impaciencia no lo impide, yo, mientras, te hablaré del infierno, de ese infierno donde cuelgan a la adúltera por sus
pechos, con las manos atadas al cuello, para que purgue
sus pecados.

Ata mis manos, monje, a la cabecera y maldice a tu
reina, escúpeme como lo hacía Alfonso, si es eso lo que
te complace, o sé suave y dulce, como era delicado Gómez González; murmura a mis oídos frases obscenas
como don Pedro, recorre con tu lengua cada rincón de
mi piel, así, despacio, muy despacio...

Arrodíllate, póstrate ante tu virgen, venérala, dale
culto de latría, el que sólo das a tu dios; deja que mientras tanto descubra zonas de tu cuerpo que nunca hubieras sospechado, que hurgue en tu carne, que adentre mis
dedos en ti, antes de que tú acudas una vez más a la
cueva que te espanta y te vuelve loco. Tus ángeles están
entonando todos los aleluyas, y sus mil ojos, monje, nos

contemplan. Purifica con tu hisopo sagrado mi carne pecadora y luego lame una a una las gotas blancas.
Quiero que me cuentes todas tus fantasías, tus obsesiones, tus delirios... si me quedara tiempo, monje, sería tu maestra... Ven, ven ahora. Déjate ir dentro de mí, porque tu reina, monje, ya tampoco puede más.

Descansa ahora, duerme tranquilo. Yo todavía tengo que terminar algunas cosas, pero no te impacientes, porque Urraca en seguida va a dormir a tu lado. Poncia fue cuidadosa y me enseñó la hierba adecuada, la que no hace daño y permite trasladarse, sin apenas esfuerzo, a ese lugar donde, según tú, hay una luz que ofusca a todo el que llega y le hace postrarse, y esa luz se propaga a través de los ojos y a través de la inteligencia, de modo que cada uno de los bienaventurados es todo él ojos y oídos y entonces se descorren los velos.

Lourdes Ortiz, junio 1981

Índice